ENTRETIEN
ENTRE
D'ALEMBERT ET DIDEROT

LE RÊVE DE D'ALEMBERT

SUITE DE L'ENTRETIEN

DENIS DIDEROT

ENTRETIEN ENTRE D'ALEMBERT ET DIDEROT
LE RÊVE DE D'ALEMBERT
SUITE DE L'ENTRETIEN

Édition établie

par

Jacques Roger

GF-Flammarion

Du même auteur
dans la même collection

Entretien entre d'Alembert et Diderot — Le Rêve
de d'Alembert — Suite de l'Entretien.
Entretiens sur le Fils naturel — Paradoxe sur le
Comédien.
La Religieuse, suivie des extraits de la Correspon-
dance littéraire de Grimm.
Les Bijoux indiscrets.
Jacques le Fataliste.
Supplément au voyage de Bougainville. Pensées
philosophiques. Lettre sur les Aveugles.
Contes et Entretiens.

© 1965 by GARNIER-FLAMMARION, Paris.
ISBN 2-08-070053-7

Important - Read ̄ Introduction

CHRONOLOGIE DE LA VIE DE DIDEROT
et de sa réflexion sur les sciences de la vie

5 octobre 1713 : Naissance à Langres de Denis Diderot, fils de Didier Diderot, maître coutelier, et d'Angélique Vigneron, son épouse.

1723-1728 : Denis Diderot fait ses études chez les jésuites de Langres.

22 août 1726 : Il reçoit la tonsure afin de pouvoir succéder à son oncle le chanoine Didier Vigneron.

26 avril 1728 : Didier Vigneron meurt, mais Diderot ne reçoit pas le canonicat.

1728 : Diderot vient achever ses études à Paris.

2 septembre 1732 : Il est reçu maître ès arts de l'Université de Paris. Il va, pendant quelques années, mener une vie de bohème, faire des dettes, mais beaucoup lire et s'instruire. Son père, inquiet, tente de le faire surveiller.

1741 : Diderot commence à courtiser Antoinette Champion, mais raconte à un ami de son père qu'il veut entrer au séminaire de Saint-Sulpice.

Il traduit de l'anglais l'*Histoire de la Grèce* de Temple Stanyan, qui sera publiée en 1743.

1742 : Diderot retourne à Langres, se réconcilie avec son père, mais n'ose pas lui parler de ses projets de mariage.

14 janvier 1743 : Diderot se décide à parler. Son père, furieux, le fait enfermer dans un couvent dont il s'échappe pour regagner Paris.

6 novembre 1743 : Denis Diderot épouse Antoinette Champion, à minuit, en l'église de Saint-Pierre-aux-Bœufs.

1744 : Diderot travaille, avec Eidous et Toussaint, à la traduction du *Dictionnaire de médecine* de l'Anglais Robert James.

1745 : Diderot publie une traduction très libre de l'*Essai sur le mérite et la vertu* du philosophe anglais Shaftesbury. Il y souligne l'harmonie qui règne dans la nature : « Les toiles de l'araignée sont faites pour des ailes de mouche. »
L'astronome philosophe Maupertuis publie la *Vénus physique*, petit traité de biologie où il remet en honneur l'épigenèse et montre l'importance des faits d'hérédité. Pour expliquer la vie, il prête à la matière vivante une « attraction spécifique ».

1746 : Diderot écrit les *Pensées philosophiques*, qui

sont aussitôt condamnées au feu par le Parlement de Paris. Dans cette œuvre anti-chrétienne Diderot fonde son déisme sur l'ordre de l'univers et les « merveilles de la nature ».

Diderot entre, avec d'Alembert, dans le comité rédacteur de l'*Encyclopédie*, alors dirigée par l'abbé de Gua de Malves. Condillac, ami de Diderot, publie l'*Essai sur l'origine des connaissances humaines*, premier exposé français de la philosophie sensualiste.

1747 : Diderot et d'Alembert prennent la direction de l'*Encyclopédie*. Diderot écrit la *Promenade du sceptique*, qui restera manuscrite, et où, sans renoncer à l'idée d'un ordre dans l'univers, il se montre moins enthousiaste pour les « merveilles de la nature » et semble pencher pour l'idée spinoziste d'un Dieu immanent à sa création.

Le médecin philosophe La Mettrie publie l'*Homme-machine*, où, se fondant sur la découverte de l'excitabilité musculaire, il prête à la matière vivante une force autonome d'organisation et de sensibilité.

Publication en français des premières observations microscopiques de l'abbé Needham, que Voltaire surnommera « l'Anguillard ».

1748 : Diderot publie *Les Bijoux indiscrets*, qu'il a écrits l'année précédente. Dans ce roman léger, il glisse des réflexions philosophiques sur le rôle de l'expérience dans les sciences et sur la

nature de l'âme, qu'il assimile à un principe
vital.

Il publie également ses *Mémoires sur différents
sujets de mathématiques* et sa *Lettre du chirurgien
Morand sur les troubles de la médecine et de la
chirurgie*.

Publication posthume du *Telliamed* de Benoît
de Maillet, où l'auteur explique que les espèces
animales terrestres et aériennes, y compris
l'homme, descendent d'espèces marines.

1749 . Diderot publie sa *Lettre sur les aveugles*, où
il joint à une étude de la psychologie des aveugles-
nés une déclaration assez peu équivoque d'athéisme, justifiée par l'existence des monstres et le
désordre de la nature, et conduisant à une vision
lucrétienne de la naissance des êtres vivants.

Au mois de juin, il correspond avec Voltaire et
s'efforce d'atténuer l'impression fâcheuse pro-
duite par l'athéisme de la *Lettre*.

Au début de juillet paraissent les trois premiers
volumes de l'*Histoire naturelle* de Buffon, où
l'on trouve un éloge de la *Lettre sur les aveugles*.
Comme Maupertuis, Buffon est partisan de
l'épigenèse et, comme Diderot, il renonce à découvrir un ordre dans la nature. Tout en maintenant
l'originalité de la raison humaine, il admet
l'existence de la sensibilité dans les éléments
premiers de la matière vivante, les « molécules
organiques ».

Le 24 juillet, Diderot est arrêté et conduit à
Vincennes. Après avoir signé, le 21 août, un

engagement de soumission, il est libéré le 3
novembre. En prison, il a lu Platon, Milton, et
Buffon.

1750 : Publication du prospectus de l'*Encyclopédie*.
Maupertuis publie son *Essai de cosmologie*, où
il montre la faiblesse des preuves de l'existence
de Dieu par les merveilles de la nature.
Publication des *Nouvelles Observations microscopiques* de Needham, où l'auteur développe une
philosophie dynamique de la matière. Les
contemporains crurent que Needham ressuscitait
la génération spontanée.

1751 : Diderot polémique avec le jésuite Berthier à
propos du prospectus de l'*Encyclopédie*, et publie
sa *Lettre sur les sourds-et-muets*. Le 4 mars, il est
nommé, en même temps que d'Alembert,
membre de l'Académie royale de Prusse.
Le 28 juin, publication du premier tome de
l'*Encyclopédie*. Diderot y a rédigé la plupart des
articles d'histoire naturelle, en particulier l'article *Animal*, où, reprenant et discutant les idées
de Buffon, il montre l'unité de la nature et
l'étendue du règne de la sensibilité, qui va de
l'homme aux plantes.
Le 31 décembre, condamnation de l'abbé de
Prades, accusé de défendre des thèses sensualistes
en accord avec les rédacteurs de l'*Encyclopédie*.
Maupertuis publie, en latin et sous un pseudo-
nyme, son *Système de la nature*. Il y admet
l'apparition spontanée des formes vivantes,

l'existence d'un psychisme élémentaire dans les éléments premiers de la matière, et lance l'idée d'un transformisme généralisé.

Le médecin montpelliérain Bordeu publie ses *Recherches sur les glandes*, dont il explique l'action par une sorte de « tact » ou sensibilité propre à l'organe.

1752 : Le tome II de l'*Encyclopédie* paraît le 22 janvier. Le 7 février, le gouvernement interdit la vente des deux volumes et la poursuite de l'entreprise. Malgré la collaboration de naturalistes et de médecins, Diderot rédige encore des articles d'histoire naturelle. D'autre part, il collabore vigoureusement à la défense de l'abbé de Prades. Il se réconcilie avec son père, et Antoinette se rend à Langres.

1753 : L'*Encyclopédie* est de nouveau autorisée, et le tome III paraît en novembre. Diderot y a écrit l'article *Cœur*, et Bordeu l'article *Crises*.

Buffon publie le tome IV de son *Histoire naturelle*, où il rejette le transformisme de Maupertuis. A la fin de l'année, Diderot publie *De l'interprétation de la nature*, dont il donnera une nouvelle édition augmentée au début de l'année suivante. Outre des réflexions importantes sur la méthode scientifique, Diderot y propose ses doutes sur les grands problèmes de la biologie. Il hésite devant le transformisme de Maupertuis et se demande ce que devient l'unité de la nature si l'on admet, comme Buffon, une matière vivante radicalement différente de la matière brute, et qui devrait donc être éternelle. Le *Rêve de d'Alembert* répondra à ces questions.

1754 : Publication du tome IV de l'*Encyclopédie*. Diderot fait un voyage à Langres. Sa situation matérielle s'améliore.
Bordeu publie ses *Recherches sur le pouls*, où il fait de la sensibilité une propriété générale de la matière vivante.

1755 : Publication du tome V de l'*Encyclopédie*. Diderot entre en relation avec Sophie Volland. Le médecin suisse Haller publie sa *Dissertation sur les parties irritables et sensibles des animaux*, où il montre, contre Bordeu, que la sensibilité ne se trouve que dans les fibres nerveuses, et qu'il ne faut pas la confondre avec l'irritabilité des fibres musculaires.

1756 : Publication du tome VI de l'*Encyclopédie*. Dans une lettre à Landois (29 juin), Diderot explique « que le mot *liberté* est un mot vide de sens ; qu'il n'y a point et qu'il ne peut y avoir d'êtres libres ; que nous sommes ce qui convient à l'ordre général, à l'organisation, à l'éducation, et à la chaîne des événements ».

1757 : Diderot publie *Le Fils naturel* et les *Entretiens avec Dorval*. Il se brouille avec J.-J. Rousseau.
Publication du tome VII de l'*Encyclopédie*. Les

attaques contre l'ouvrage deviennent de plus en
plus vives.

Haller commence la publication de ses *Elementa
physiologiæ corporis humani*, dont le huitième
et dernier tome paraîtra en 1766.

1758 : Diderot publie *Le Père de famille* et le
Discours sur la poésie dramatique.

1759 : Le Parlement de Paris condamne l'*Encyclopédie* (6 février) et le Conseil du Roi révoque
le privilège. Les éditeurs décident de continuer
clandestinement l'impression.

Mort du père de Diderot, qui se rend à Langres
pour faire le partage de l'héritage.

15 (?) octobre : lettre à Sophie Volland sur l'éternité de la vie et du sentiment.

1760 : Diderot commence à rédiger *la Religieuse*.
Palissot fait jouer la comédie des *Philosophes*.

1761. 18 février : Première représentation du *Père
de famille* à Paris. Diderot révise les derniers
tomes de l'*Encyclopédie*.

Le philosophe Jean-Baptiste Robinet publie le
premier tome de son traité *De la nature*. Le
quatrième volume paraîtra en 1766.

1762 : Diderot publie en volume l'*Eloge de Richard-
son*. Il refuse de terminer en Russie l'*Encyclopédie*,
comme le lui propose le comte Shoucvalof,
chambellan de Catherine II.

Suppression en France de la Société de Jésus.

1763 : Diderot écrit une *Lettre à M. de Sartine sur le commerce de la librairie*, et son troisième *Salon*.

1764 : Diderot décide de terminer l'*Encyclopédie* malgré les mutilations que le libraire Le Breton a fait subir au texte des dix derniers volumes.
Le naturaliste philosophe Charles Bonnet de Genève publie sa *Contemplation de la nature*, dans laquelle il admet le principe de la chaîne des êtres, la gradation insensible entre les degrés de l'échelle universelle et l'existence de la sensibilité dans les plantes.

1765 : Diderot vend sa bibliothèque à Catherine II contre 15 000 livres et une pension de cent pistoles. L'impression de l'*Encyclopédie* se termine.
Dans une lettre à Duclos du 10 octobre, Diderot écrit : « La sensibilité, c'est une propriété universelle de la matière, propriété inerte dans les corps bruts,... rendue active dans les mêmes corps par leur assimilation avec une substance animale vivante. »
Diderot rédige son quatrième *Salon* et son *Essai sur la peinture*.

1766 : Les dix derniers volumes de l'*Encyclopédie* sont livrés aux souscripteurs dans une demi-clandestinité. On y trouve, entre autres, l'article *Spinoziste*, où Diderot explique qu'un œuf n'est qu'un « corps inerte qui par le seul instrument de la chaleur graduée passe à l'état d'être sentant et vivant »; l'article *Œconomie animale* où le médecin Ménuret de Chambaud reprend le vitalisme organiciste de Bordeu; l'article *Sensibilité* du médecin Fouquet, autre disciple de Bordeu, qui fait de ce principe l'agent de la vie et du développement de l'embryon.

Buffon publie le tome XIV de l'*Histoire naturelle*, qui contient l'article *De la dégénération des animaux*, exposé d'un transformisme limité, mais bien fondé.

1767 : Diderot travaille à son cinquième *Salon* où, au milieu de considérations sur la peinture, il utilise l'image de l'araignée et de ses longues pattes pour faire sentir les rapports entre la sensibilité centrale et les sensibilités périphériques.

1768 : Bordeu publie ses *Recherches sur l'histoire de la médecine*, où il expose avec particulièrement de force sa pensée vitaliste.

1769 : Diderot est chargé par Grimm, parti pour l'Allemagne, de la rédaction de la *Correspondance littéraire*. Il assure également la publication des *Dialogues sur les blés* de l'abbé Galiani, reparti pour l'Italie. Le *Père de famille* est rejoué avec succès.

Au mois d'août, Diderot rédige l'essentiel des trois dialogues du *Rêve de d'Alembert.*

Publication de la traduction française des

*Nouvelles recherches sur les découvertes micro-
scopiques*, de l'abbé Spallanzani (l'original italien
a paru en 1765). Spallanzani y ruine expérimen-
talement les idées de Needham sur la génération
spontanée.

1770 : Diderot commence l'*Entretien d'un père
avec ses enfants* et *Les deux amis de Bourbonne*.
Il écrit l'*Apologie de Galiani* et les *Principes
philosophiques sur la matière et le mouvement*, où
il déclare le mouvement inhérent à la matière.
D'Holbach publie le *Système de la nature*, dont
Diderot a quelque peu corrigé le style, et qui est
attribué à Mirabaud, secrétaire perpétuel et
défunt de l'Académie française.

1771 : Diderot termine une première version de
Jacques le Fataliste. *Le Fils naturel* est joué sans
succès à la Comédie-Française.

1772 : Diderot termine *Ceci n'est pas un conte* et
Madame de la Carlière. Il collabore à l'*Histoire
des deux Indes* de l'abbé Raynal et commence le
Supplément au voyage de Bougainville.

1773 : Diderot part pour Saint-Pétersbourg. En
cours de route, il s'arrête trois mois en Hollande,
où il prépare des notes de voyage et une *Réfutation du livre d'Helvétius intitulé De l'Homme*.
Il arrive à Saint-Pétersbourg le 8 octobre.

1774 : Parti de Saint-Pétersbourg le 5 mars, il

arrive à La Haye le 5 avril et y reste jusqu'en septembre. Il travaille à la *Réfutation d'Helvétius*, à l'*Entretien avec la Maréchale*, à la *Politique des souverains* et aux *Eléments de physiologie*. Au début d'octobre, Diderot est rentré à Paris.

1775 : Diderot écrit un *Plan d'une Université pour la Russie* et un *Essai sur les études en Russie*, tous deux destinés à Catherine II. Il rédige son huitième *Salon*.

Sa fille Angélique, mariée en 1772 avec le Langrois Caroillon de Vandeul, met au monde un fils, Denis-Simon. Diderot utilise ses relations en faveur de son gendre.

1776 : Diderot travaille beaucoup, mais le plus souvent hors de Paris, à Sèvres ou chez le baron d'Holbach.

1777 : Diderot écrit une comédie, sans doute le premier état de *Est-il bon, est-il méchant?* Il travaille à l'*Histoire des deux Indes* et songe à faire imprimer ses œuvres complètes.

1778. décembre : Diderot publie son *Essai sur la vie de Sénèque le philosophe, sur ses écrits, et sur les règnes de Claude et de Néron...* (publié sous la date de 1779).

1779 : Diderot reçoit 10 000 livres de Catherine II. Il travaille toujours à l'*Histoire des deux Indes*.

1780 : La municipalité de Langres demande à Diderot son buste pour l'hôtel de ville.

1781 : Diderot écrit la *Lettre apologétique de l'abbé Raynal à M. Grimm* et son neuvième *Salon*.

1782 : Publication de l'*Essai sur les règnes de Claude et de Néron* (édition revue et augmentée de l'ouvrage de 1778).

1783 : Diderot est malade. D'Alembert meurt (29 octobre).

1784 : Diderot est frappé d'apoplexie le 19 février. Sophie Volland meurt le 22 du même mois. Diderot s'installe dans son bel appartement de la rue de Richelieu le 15 juillet. Il y meurt le 31.

INTRODUCTION

A la fin de 1749, Diderot avait appris à être prudent. Les *Pensées philosophiques* avaient été brûlées par la main du bourreau trois ans plus tôt et il sortait de Vincennes, où sa *Lettre sur les Aveugles* l'avait fait enfermer pour trois mois. Instruit désormais sur les précautions à prendre lorsqu'on entendait philosopher à l'air libre sous le règne de Louis le Bien-aimé, lié peut-être aussi par les engagements pris à l'égard du lieutenant de police, Diderot ne renonça pourtant ni à parler ni à écrire : celui lui eût été physiquement impossible ; mais il choisit ses auditeurs et s'abstint de publier. A sa mort, le public pouvait voir en lui un auteur dramatique plus convaincu que doué, un critique d'art un peu bavard et surtout l'animateur obstiné, héroïque selon les uns, diaboliquement persévérant selon les autres, de l'*Encyclopédie* et de la « coterie holbachique ». On ignorait généralement qu'une masse d'œuvres restées manuscrites faisait de lui un des romanciers les plus originaux et l'un des philosophes les plus profonds de son siècle. Comment ces manuscrits sortirent de l'obscurité après sa mort, souvent corrigés par la piété filiale et défigurés par des éditeurs infidèles ou mal informés, comment

l'enchevêtrement des autographes et des copies fait
encore aujourd'hui le désespoir des érudits, c'est une
longue et passionnante histoire, qu'il n'y a pas lieu
de conter ici. Les aventures du *Rêve de d'Alembert*
nous seront un exemple suffisant.

Par une chance exceptionnelle, nous connaissons
la date très exacte de la rédaction de notre texte :
août et peut-être début septembre 1769. Diderot
était alors seul à Paris et jouissait de quelques
loisirs. Il s'était acquitté des tâches que Grimm
lui avait imposées et venait d'envoyer promener
l'éditeur Panckoucke, qui lui demandait un *Supplément* pour l'*Encyclopédie*. En quelques semaines, et
hormis trois additions qui furent faites en novembre,
il écrivit tout d'un seul jet. Mais comment garder le
silence sur une œuvre dont il était visiblement satisfait ? Sophie Volland fut sans doute la première infor-
mée, puis ce fut le tour de Grimm revenu d'Allemagne, de Saint-Lambert et de quelques autres amis
sûrs. Mais le danger survint là où on ne l'attendait
pas : Mlle de Lespinasse apprit qu'on l'avait mise en
scène, qu'on lui avait prêté des curiosités peu
décentes, et elle s'indigna : « M. Diderot, écrivit-
elle, devrait, ce me semble, s'interdire de parler
ou de faire parler des femmes qu'il ne connaît
pas. » D'Alembert ne pouvait rien refuser à Mlle de
Lespinasse. Peut-être craignit-il aussi de se voir
sérieusement attribuer les propos dangereux qu'il
tenait dans *le Rêve*. Il intervint énergiquement
auprès de Diderot, qui brûla son manuscrit et la
copie que Grimm en avait déjà fait prendre. C'en
était fait du *Rêve de d'Alembert*.

A la fin de 1774, Diderot revenait de Russie, fatigué et vieilli. Il tenta pourtant de reconstituer les dialogues détruits, mais sans retrouver l'élan du premier jet. Mélancoliquement, il constate : « On m'a dit qu'il y avait primitivement dans l'ouvrage de l'originalité, de la force, de la verve, de la gaieté, du naturel et même de la suite. La plupart de ces qualités (...) se sont évanouies de ceux-ci. » Mais Julie de Lespinasse meurt le 21 mai 1776 et d'Alembert, en rangeant les papiers de sa maîtresse, découvre qu'elle ne l'aimait pas. Et voici que, miraculeusement, reparaît une copie intacte et complète des dialogues de 1769. On ne peut suspecter Diderot de mauvaise foi en cette affaire et, selon toute vraisemblance, c'est à la silencieuse prudence de Grimm que nous devons cette résurrection. En 1782, quelques-uns des abonnés royaux de cette revue manuscrite et confidentielle qu'était la *Correspondance littéraire* purent prendre connaissance des dialogues, mais le secret fut bien gardé et le grand public en ignora tout. Lorsque Diderot mourut, sa fille envoya à Catherine II, avec la bibliothèque de son père, une copie de tous ses manuscrits. *Le Rêve de d'Alembert* s'en alla donc dormir dans la bibliothèque de Saint-Pétersbourg, sous la garde des Tsars de la Sainte-Alliance, jusqu'au jour où un universitaire français nommé Dugour et naturalisé sous le nom de De Gourov en fit prendre clandestinement une copie qu'il vendit à un éditeur parisien. Il fallut ainsi attendre 1830 pour que notre texte parût au grand jour.

L'intérêt de cette édition n'en fut pas moins
durable, car elle resta longtemps le seul moyen de
connaître le manuscrit conservé à l'Ermitage.
Léon Godard, envoyé à Saint-Pétersbourg en 1856
pour examiner les manuscrits de Diderot, ne s'inté-
ressa qu'aux œuvres inédites. Maurice Tourneux,
lors d'une mission analogue en 1880, se contenta
d'une collation trop rapide et ne releva que peu de
différences avec le texte de 1830. Il a fallu attendre
l'édition récente de M. Varloot pour avoir une
idée exacte de la copie de Leningrad. Entre temps,
d'autres sources avaient été découvertes. Une copie,
provenant sans doute de la *Correspondance littéraire*, avait été acquise par la Bibliothèque nationale
à la fin du XIXᵉ siècle, et présente des variantes
intéressantes. Une autre copie, de la main de
Naigeon, le fidèle disciple de Diderot, apporte,
quoique incomplète, des renseignements sur un état
primitif du texte. D'autre part, on sait que la
collection des papiers conservés par la famille de
Diderot, ce qu'on appelle le « fonds Vandeul »,
a été mise à la disposition des chercheurs grâce à
l'intervention d'un érudit américain, M. Herbert
Dieckmann. Elle contient trois manuscrits du
Rêve de d'Alembert. A vrai dire, deux d'entre elles
ne sont que des copies, fortement corrigées et
mutilées par les héritiers immédiats de Diderot,
peu soucieux d'éditer telles quelles les hardiesses
du philosophe. Mais le troisième manuscrit est
un autographe, une mise au net tardive, mais authen-
tique. Elle constitue de loin la base la plus impor-
tante pour une édition moderne de notre texte,

sans qu'il soit possible pour autant de négliger les
autres manuscrits que nous venons de signaler.

Pour avoir voulu mettre en scène des personnages contemporains sans leur demander leur
avis, Diderot avait donc failli nous priver de son
œuvre. Pourtant, il avait d'abord pensé à situer
ses dialogues dans une antiquité qui les eût rendus
plus respectables. « Si j'avais voulu sacrifier la
richesse du fond à la noblesse du ton, écrit-il
à Sophie Volland, Démocrite, Hippocrate et
Leucippe auraient été mes personnages ; mais
la vraisemblance m'aurait enfermé dans les bornes
étroites de la philosophie ancienne, et j'y aurais
trop perdu. » A dire le vrai, il y aurait peut-être
tout perdu, car la qualité la plus certaine d'une
réflexion dont l'audace effraie l'auteur lui-même,
— « Cela est de la plus haute extravagance,
avoue-t-il, et tout à la fois de la philosophie la
plus profonde », — c'est bien de s'appuyer sur
les formes les plus modernes de la réflexion scientifique. Si l'on tente en effet d'énumérer les savants
qui ont contribué, de gré ou de force, à l'élabora-
tion de la pensée de Diderot, on trouve tous les
grands noms du siècle, Haller et Charles Bonnet,
Buffon et Needham, Bordeu et Robert Whytt,
sans même parler de ceux que Diderot pratiquera
après avoir écrit *le Rêve de d'Alembert*. L'ambition
de Diderot n'est sans doute pas nouvelle, et déjà
les Grecs avaient tenté d'appuyer leur philosophie
sur leurs connaissances scientifiques. Mais lorsque
Diderot reprend cette ambition à son compte,
elle l'oblige précisément à demander ses lumières

à la science la plus récente. Projet qui remonte loin, puisqu'il l'avait déjà en 1746, au temps où il fondait son déisme sur l'observation microscopique de l'œil du ciron ou de l'aile de papillon.

Mais depuis 1749 Diderot ne croit plus au Dieu ordonnateur de l'univers ni aux merveilles de la nature, et ce qu'il demande maintenant à la science, c'est de lui prouver cette unité de la nature qu'exige sa philosophie, et de lui montrer comment atteindre cette unité derrière la diversité des phénomènes de la pensée, de la sensibilité, de la vie et de la matière brute. La philosophie sensualiste, telle qu'elle avait été exposée par Locke, développée par Condillac et adoptée par presque tous les philosophes du XVIIIᵉ siècle, lui permettait de ramener la pensée humaine à une combinaison de sensations. Mais le caractère mécanique de cette combinaison ne le satisfaisait pas tout à fait. Peu porté à suivre Voltaire, qui voyait dans le pouvoir de l'esprit humain une « faculté » accordée par Dieu à la matière, Diderot voulait trouver une force qui assurât le fonctionnement de l'esprit, mais aussi qui rendît compte de ce qu'il y a d'actif dans la sensation même, et il voulait que cette force fût naturelle, c'est-à-dire physiologique. A ce prix seulement il pouvait présenter une interprétation matérialiste de la pensée et mettre en évidence l'unité de l'être humain. La solution de ce problème, il la trouve dans l'œuvre de Bordeu, médecin de Montpellier installé à Paris et collaborateur occasionnel de l'*Encyclopédie*. Car, pour Bordeu, la vie s'explique par la sensibilité, qualité inhérente à toute matière vivante. C'est elle qui assure la formation de l'être et le fonctionnement des organes, elle aussi qui règle l'harmonie du tout, transmet au centre, c'est-à-dire au cerveau, les excitations ressenties à la périphérie, et à la périphérie les volontés venues du centre. Dans *le Rêve*, Diderot insistera longuement sur le double rôle de liaison joué par le « faisceau » dont les « brins » sont les filets nerveux. Alors que le matérialisme classique montrait surtout l'action du « physique » sur le « moral », Diderot, à la suite de Bordeu et des premiers vitalistes, met en évidence le pouvoir de l'âme sur le corps, c'est-à-dire de l'organisation centrale sur la sensibilité périphérique. L'âme n'est que matière et sensibilité, mais elle règne sur le corps autant que le corps sur elle : l'unité est parfaite et la solidarité totale. Cela ne signifie pas, d'ailleurs, que l'homme ne soit qu'un animal, puisqu'il jouit d'une organisation plus complexe, puisqu'il parle et vit en société. Mais cela signifie au moins que la pensée ne pose pas de problème insoluble : avec le temps, on en connaîtra le fonctionnement, et ce qui passait pour un miracle métaphysique n'apparaîtra plus que comme une suite fort compliquée d'actions et de réactions purement physiologiques.

Il est moins facile de réduire la distance qui sépare l'animal de la pierre brute, malgré cette espèce d'intermédiaire que constitue la plante. Buffon, en 1749, se croyait obligé de poser l'existence de deux matières distinctes, la matière brute et la matière vivante, composée de « molécules organiques ». Buffon n'a rien d'un philosophe conservateur. Diderot le sait bien, et ne peut s'empêcher pourtant de s'interroger sur la valeur de la distinction : « Mais comment se peut-il faire que la matière ne soit pas une, ou toute vivante, ou toute morte? » écrit-il en 1753. Cette division lui est insupportable, car « si les phénomènes ne sont pas enchaînés les uns aux autres, il n'y a point de philosophie ». Ne faut-il pas l'admettre cependant, puisque tous les biologistes, depuis la fin du XVIIe siècle, rejettent l'idée d'une génération spontanée, d'une apparition directe d'un être vivant à partir de la matière brute? Tous? Peut-être pas. Buffon admettra bientôt, et Diderot le sait peut-être déjà, que les « molécules organiques vivantes » sont nées, il y a fort longtemps, d'une combinaison chimique de matière brute, et cette idée paraît plus vraisemblable que les images poétiques de Lucrèce auxquelles Diderot pense toujours. Mais il y a mieux. L'abbé Needham, collaborateur de Buffon, a vu une anguille vivante naître dans un peu de farine de blé ergoté humectée d'eau. Au microscope, il a vu des animaux surgir dans des infusions de graines végétales, et des espèces différentes naître les unes des autres, toujours plus petites et plus actives, jusqu'à ce qu'enfin toute trace de vie disparaisse sous l'œil de l'observateur. L'univers entier ne serait-il pas, comme « la goutte d'eau de Needham », le théâtre de perpétuelles générations spontanées?

Admettons donc que le vivant puisse naître
de l'inanimé. Le fait dûment constaté ne résout
pas le problème de la sensibilité, qui n'existait
pas dans le brut et se manifeste soudain dans le
vivant. Parler de « l'organisation » ne résout rien.
Dire que « la particule a placée à gauche de la
particule b n'avait point la conscience de son
existence, ne sentait point, était inerte et morte »,
tandis que, si a est à la droite de b, « le tout vit,
se connaît, se sent », c'est « avancer, ce me semble,
une absurdité très forte », explique Diderot à
Sophie Volland en octobre 1759. Même si l'on
suppose que le brut immobile peut devenir mobile,
se développer, se reproduire, on ne conçoit pas
comment l'insensible peut devenir sensible. Il faut
donc croire que « le sentiment et la vie sont éternels. Ce qui vit a toujours vécu et vivra sans fin. »
Mais alors, que devient l'unité de la nature?
Diderot n'y renonce pas de bon cœur et finale-
ment, en 1765, accepte la seule hypothèse capable
de la sauvegarder, à savoir « que la sensibilité
est une propriété universelle de la matière ». C'est
le thème que va développer, quatre ans plus tard,
le premier *Entretien entre d'Alembert et Diderot*.
Dès lors, tout s'éclaire et s'ordonne harmonieu-
sement : la sensibilité, latente dans la matière
brute, se révèle lorsque cette matière s'organise
de manière à acquérir le mouvement spontané :
ainsi dans le développement de l'œuf dont sort un
être vivant, dans les combinaisons observées par
Needham et, plus banalement, chaque fois que
la pierre est assimilée par la plante et la plante

par l'animal ou l'homme. Il n'y a plus d'hiatus dans la nature, et il suffit que cette sensibilité diffuse se concentre dans les organes et se hiérarchise entre le cerveau et les centres nerveux pour que tout soit expliqué, y compris les phénomènes de la pensée : Bordeu vient ici relayer Needham, Bonnet et Robinet.

Mais si la matière circule, toujours sensible et pareille à elle-même, à travers toutes les formes naturelles ; si ces formes mêmes sont déterminées par l'action de la sensibilité universelle, comment leur attribuer une valeur réelle et une permanence quelconque? Comment découvrir un ordre dans l'univers? Charles Bonnet et Jean-Baptiste Robinet, qui tendaient eux aussi à affirmer l'unité fondamentale de la nature, croyaient du moins que cette unité s'exprimait à travers des formes voulues par Dieu, et donc fixes et durables. Rien de tel n'était concevable dans l'univers de Diderot, où la sensibilité modifiait les formes au gré des besoins de l'être et des incitations extérieures. Sans conduire véritablement au transformisme orienté de Lamarck, Diderot imposait l'image d'une nature en perpétuel devenir, où des formes nées par hasard se transformaient ensuite nécessairement et indéfiniment. Toute espèce, y compris l'espèce humaine, devenait éphémère et transitoire ou, pour mieux dire, les espèces n'existaient pas. Nature inconnaissable en définitive, car, comme Diderot lui-même l'avait écrit en 1753 : « Si l'état des êtres est dans une vicissitude perpétuelle ; si la nature est encore à l'ouvrage, malgré la chaîne

qui lie les phénomènes, il n'y a point de philosophie. Toute notre science naturelle devient aussi
transitoire que les mots. » D'Alembert, dans
son délire, exprimera le même découra-
gement.

Dans l'évolution de la pensée biologique et
médicale, Diderot venait ainsi prendre place entre
Buffon, Needham et Bordeu, d'une part, Lamarck,
Barthez et Cabanis, d'autre part. Comment eût-il
pu exprimer sa pensée en faisant parler Démocrite,
Hippocrate et Leucippe? Mais le choix des personnages ne s'explique pas seulement par des
raisons philosophiques. Lorsqu'il tenta, en 1775,
de refaire avec des héros à l'antique les dialogues
qu'il croyait détruits, Diderot écrivait : « En
changeant les noms des interlocuteurs, ces dialogues
ont encore perdu le mérite de la comédie. » Comédie
très discrète, et dont le sel devait être plus sensible
aux initiés. On peut croire que le premier *Entretien*
reproduit assez fidèlement les discussions que
Diderot pouvait avoir avec un d'Alembert très
géomètre, sceptique déclaré et parfois bourru
Mais il y a plus de malice, dans *le Rêve*, à prêter
au même d'Alembert, toujours très prudent dans
l'expression de sa pensée, un exposé très libre
d'une philosophie audacieuse, plus de malice
encore à le faire soigner par Bordeu, alors que son
médecin traitant, Bouvart, que Diderot méprisait
à juste titre, haïssait Bordeu et l'avait atrocement
calomnié. Il y avait même quelque cruauté à
donner à d'Alembert des ardeurs solitaires, alors
qu'il passait pour impuissant. Les amis de la

« coterie holbachique » avaient dû trouver là de
quoi sourire. Julie de Lespinasse suivait nécessairement d'Alembert, mais Diderot, qui la connaissait à peine, lui a donné des traits qui appar-
tiennent à Sophie Volland : autre public,
qui saisissait au vol des allusions qui nous
échappent. Seul Bordeu ne semble pas égratigné
dans cette affaire, même si Diderot lui prête
des opinions et des anecdotes qui conviennent
mieux au philosophe de Langres qu'au médecin
gascon.

Nous ne pouvons donc plus goûter pleinement
« le mérite de la comédie », mais nous pouvons
au moins jouir du dialogue merveilleusement
alerte de la demoiselle et du médecin, de ce mari-
vaudage mi-gaillard, mi-scientifique, qui porte si
bien la marque de son temps et de son auteur, et
fournit comme un pendant ironique à la gravité
du premier entretien. Nous pouvons apprécier
aussi la subtile composition de la partie centrale,
et le contrepoint que le délire cosmique de d'Alembert apporte à la discussion de psycho-physiologie
menée par le médecin et la garde-malade impro-
visée, contrepoint qui lie les deux thèmes et souligne implicitement leur étroite dépendance mutuelle.
Car l'artiste ici, sans jamais s'effacer, se met
toujours au service du philosophe. La souple
composition du dialogue permet une liberté
d'allure que n'aurait pas autorisée le plan rigide
d'un exposé méthodique. Il s'agit moins, en effet,
de convaincre l'intelligence par un raisonnement
rigoureux que d'investir l'interlocuteur – le d'Alem-

bert du premier *Entretien* – par une série d'évidences. A un sentiment immédiat et profond, quoique irrationnel, – « Il faut que la pierre sente. Cela est dur à croire. », – il faut substituer un autre sentiment tout aussi immédiat : toute matière sent, puisque toute matière devient sensible. D'où cette argumentation convergente du premier dialogue, à laquelle succède la composition lyrique du panneau central, où le délire prophétique de d'Alembert endormi dresse l'univers en toile de fond, tandis que les deux protagonistes échangent leurs répliques alternées et complices. Par un contraste savoureux, le troisième épisode abrite dans un décor singulièrement bourgeois – la table desservie, le café, le malaga – une conversation qui ne l'est guère et qui s'amuse de ses propres outrances. Tout est jeu dans cette œuvre, mais non pas jeu gratuit, car c'est avec une conviction profonde que le philosophe cherche à s'emparer d'un lecteur d'abord méfiant, mais vite amusé et peut-être conquis.

Diderot n'ignore pas, cependant, que « la sensibilité générale des molécules de la matière n'est qu'une supposition, qui tire toute sa force des difficultés dont elle débarrasse, ce qui ne suffit pas en bonne philosophie ». Après l'avoir constaté en ces termes dans la *Réfutation d'Helvétius*, il reprendra inlassablement le problème, dans ses *Éléments de physiologie* comme dans son *Essai sur les règnes de Claude et de Néron*, et mourra sans avoir trouvé de solution qui le satisfasse vraiment. Car il avait assez fréquenté les savants pour connaître les exigences de la rigueur scientifique. Il est heureux cependant qu'il ne se soit pas laissé stériliser par cette exigence et qu'il s'en soit départi un jour pour écrire *le Rêve de d'Alembert* et révéler pleinement les intuitions profondes de sa philosophie.

JACQUES ROGER

ENTRETIEN
ENTRE
D'ALEMBERT ET DIDEROT

D'ALEMBERT

J'avoue qu'un être qui existe quelque part et qui ne correspond à aucun point de l'espace ; un être qui est inétendu et qui occupe de l'étendue ; qui est tout entier sous chaque partie de cette étendue; qui diffère essentiellement de la matière et qui lui est uni; qui la suit et qui la meut sans se mouvoir; qui agit sur elle et qui en subit toutes les vicissitudes; un être dont je n'ai pas la moindre idée; un être d'une nature aussi contradictoire est difficile à admettre. Mais d'autres obscurités attendent celui qui le rejette; car enfin cette sensibilité que vous lui substituez, si c'est une qualité générale et essentielle de la matière, il faut que la pierre sente.

DIDEROT

Pourquoi non?

D'ALEMBERT

Cela est dur à croire.

DIDEROT

Oui, pour celui qui la coupe, la taille, la broie et qui ne l'entend pas crier.

D'ALEMBERT

Je voudrais bien que vous me disiez quelle différence vous mettez entre l'homme et la statue, entre le marbre et la chair.

DIDEROT

Assez peu. On fait du marbre avec de la chair, et de la chair avec du marbre.

figure y speee - (chiasmus)

D'ALEMBERT

Mais l'un n'est pas l'autre.

DIDEROT

Comme ce que vous appelez la force vive n'est pas la force morte.

D'ALEMBERT

Je ne vous entends pas.

DIDEROT

Je m'explique. Le transport d'un corps d'un lieu dans un autre n'est pas le mouvement, ce n'en est que l'effet. Le mouvement est également et dans le corps transféré et dans le corps immobile.

D'ALEMBERT

Cette façon de voir est nouvelle.

DIDEROT

Elle n'en est pas moins vraie. Otez l'obstacle qui s'oppose au transport local du corps immobile, et il sera transféré. Supprimez par une raréfaction subite l'air qui environne cet énorme tronc de chêne, et l'eau qu'il contient, entrant tout à coup en expansion, le dispersera en cent mille éclats. J'en dis autant de votre propre corps.

D'ALEMBERT

Soit. Mais quel rapport y a-t-il entre le mouvement et la sensibilité? Serait-ce par hasard que vous reconnaîtriez une sensibilité active et une sensibilité inerte, comme il y a une force vive et une force morte? Une force vive qui se manifeste par la translation, une force morte qui se manifeste par la pression; une sensibilité active qui se caractérise par certaines actions remarquables dans l'animal et peut-être dans la plante; et une sensibilité inerte dont on serait assuré par le passage à l'état de sensibilité active.

DIDEROT

A merveille. Vous l'avez dit.

D'ALEMBERT

Ainsi la statue n'a qu'une sensibilité inerte; et l'homme, l'animal, la plante même peut-être, sont doués d'une sensibilité active.

DIDEROT

Il y a sans doute cette différence entre le bloc de marbre et le tissu de chair; mais vous concevez bien que ce n'est pas la seule.

D'ALEMBERT

Assurément. Quelque ressemblance qu'il y ait entre la forme extérieure de l'homme et de la statue, il n'y a point de rapport entre leur organisation intérieure. Le ciseau du plus habile statuaire ne fait pas même un épiderme. Mais il y a un procédé fort simple pour faire passer une force morte à l'état de force vive; c'est une expérience qui se répète sous nos yeux cent fois par jour; au lieu que je ne vois pas trop comment on fait passer un corps de l'état de sensibilité inerte à l'état de sensibilité active.

DIDEROT

C'est que vous ne voulez pas le voir. C'est un phénomène aussi commun.

D'ALEMBERT

Et ce phénomène aussi commun, quel est-il, s'il vous plaît?

DIDEROT

Je vais vous le dire, puisque vous en voulez avoir la honte. Cela se fait toutes les fois que vous mangez.

D'ALEMBERT

Toutes les fois que je mange!

DIDEROT

Oui; car en mangeant, que faites-vous? Vous levez les obstacles qui s'opposaient à la sensibilité active de l'aliment. Vous l'assimilez avec vous-même; vous en faites de la chair; vous l'animalisez; vous le rendez sensible; et ce que vous exécutez sur un aliment, je l'exécuterai quand il me plaira sur le marbre.

D'ALEMBERT

Et comment cela?

DIDEROT

Comment? je le rendrai comestible.

D'ALEMBERT

Rendre le marbre comestible, cela ne me paraît pas facile.

DIDEROT

C'est mon affaire, que de vous en indiquer le procédé. Je prends la statue que vous voyez, je la mets dans un mortier, et à grands coups de pilon...

D'ALEMBERT

Doucement, s'il vous plaît : c'est le chef-d'œuvre de Falconet. Encore si c'était un morceau d'Huez ou d'un autre...

DIDEROT

Cela ne fait rien à Falconet; la statue est payée,
et Falconet fait peu de cas de la considération
présente, aucun de la considération à venir.

D'ALEMBERT

Allons, pulvérisez donc.

DIDEROT

Lorsque le bloc de marbre est réduit en poudre
impalpable, je mêle cette poudre à de l'humus ou
terre végétale; je les pétris bien ensemble; j'arrose
le mélange, je le laisse putréfier un an, deux ans,
un siècle; le temps ne me fait rien. Lorsque le
tout s'est transformé en une matière à peu près
homogène, en humus, savez-vous ce que je fais?

D'ALEMBERT

Je suis sûr que vous ne mangez pas de l'humus.

DIDEROT

Non, mais il y a un moyen d'union, d'appro-
priation, entre l'humus et moi, un *latus*, comme vous
dirait le chimiste.

D'ALEMBERT

Et ce *latus*, c'est la plante?

DIDEROT

Fort bien. J'y sème des pois, des fèves, des choux, d'autres plantes légumineuses. Les plantes se nourrissent de la terre, et je me nourris des plantes.

D'ALEMBERT

Vrai ou faux, j'aime ce passage du marbre à l'humus, de l'humus au règne végétal, et du règne végétal au règne animal, à la chair.

DIDEROT

Je fais donc de la chair ou de l'âme, comme dit ma fille, une matière activement sensible; et si je ne résous pas le problème que vous m'avez proposé, du moins j'en approche beaucoup; car vous m'avouerez qu'il y a bien plus loin d'un morceau de marbre à un être qui sent, que d'un être qui sent à un être qui pense.

D'ALEMBERT

J'en conviens. Avec tout cela l'être sensible n'est pas encore l'être pensant.

DIDEROT

Avant que de faire un pas en avant, permettez-moi de vous faire l'histoire d'un des plus grands géomètres de l'Europe. Qu'était-ce d'abord que cet être merveilleux? Rien.

D'ALEMBERT

Comment rien! On ne fait rien de rien.

DIDEROT

Vous prenez les mots trop à la lettre. Je veux dire qu'avant que sa mère, la belle et scélérate chanoinesse Tencin, eût atteint l'âge de puberté, avant que le militaire La Touche fût adolescent, les molécules qui devaient former les premiers rudiments de mon géomètre étaient éparses dans les jeunes et frêles machines de l'une et de l'autre, se filtrèrent avec la lymphe, circulèrent avec le sang, jusqu'à ce qu'enfin elles se rendissent dans les réservoirs destinés à leur coalition, les testicules de sa mère et de son père. Voilà ce germe rare formé; le voilà, comme c'est l'opinion commune, amené par les trompes de Fallope dans la matrice; le voilà attaché à la matrice par un long pédicule; le voilà, s'accroissant successivement et s'avançant à l'état de fœtus; voilà le moment de sa sortie de l'obscure prison arrivé; le voilà né, exposé sur les degrés de Saint-Jean-le-Rond qui lui donna son nom; tiré des Enfants-Trouvés; attaché à la mamelle de la bonne vitrière, madame Rousseau; allaité, devenu grand de corps et d'esprit, littérateur, mécanicien, géomètre. Comment cela s'est-il fait? En mangeant et par d'autres opérations purement mécaniques. Voici en quatre mots la formule générale : Mangez, digérez, distillez *in vasi licito, et fiat homo secundum artem.* Et celui qui exposerait à l'Académie le progrès de la for-

mation d'un homme ou d'un animal, n'emploierait
que des agents matériels dont les effets successifs
seraient un être inerte, un être sentant, un être
pensant, un être résolvant le problème de la pré-
cession des équinoxes, un être sublime, un être
merveilleux, un être vieillissant, dépérissant, mou-
rant, dissous et rendu à la terre végétale.

D'ALEMBERT

Vous ne croyez donc pas aux germes préexistants?

DIDEROT

Non.

D'ALEMBERT

Ah! que vous me faites plaisir!

DIDEROT

Cela est contre l'expérience et la raison : contre
l'expérience qui chercherait inutilement ces germes
dans l'œuf et dans la plupart des animaux avant
un certain âge; contre la raison qui nous apprend
que la divisibilité de la matière a un terme dans
la nature, quoiqu'elle n'en ait aucun dans l'entendement, et qui répugne à concevoir un éléphant
tout formé dans un atome et dans cet atome un
autre éléphant tout formé, et ainsi de suite à l'infini.

D'ALEMBERT

Mais sans ces germes préexistants, la génération première des animaux ne se conçoit pas.

DIDEROT

Si la question de la priorité de l'œuf sur la poule ou de la poule sur l'œuf vous embarrasse, c'est que vous supposez que les animaux ont été originairement ce qu'ils sont à présent. Quelle folie! On ne sait non plus ce qu'ils ont été qu'on ne sait ce qu'ils deviendront. Le vermisseau imperceptible qui s'agite dans la fange, s'achemine peut-être à l'état de grand animal; l'animal énorme, qui nous épouvante par sa grandeur, s'achemine peut-être à l'état de vermisseau, est peut-être une production particulière et momentanée de cette planète.

D'ALEMBERT

Comment avez-vous dit cela?

DIDEROT

Je vous disais... Mais cela va nous écarter de notre première discussion.

D'ALEMBERT

Qu'est-ce que cela fait? Nous y reviendrons ou nous n'y reviendrons pas.

DIDEROT

Me permettriez-vous d'anticiper de quelques milliers d'années sur les temps?

D'ALEMBERT

Pourquoi non? Le temps n'est rien pour la nature.

DIDEROT

Vous consentez donc que j'éteigne notre soleil?

D'ALEMBERT

D'autant plus volontiers que ce ne sera pas le premier qui se soit éteint.

DIDEROT

Le soleil éteint, qu'en arrivera-t-il? Les plantes périront, les animaux périront, et voilà la terre solitaire et muette. Rallumez cet astre, et à l'instant vous rétablissez la cause nécessaire d'une infinité de générations nouvelles, entre lesquelles je n'oserais assurer qu'à la suite des siècles nos plantes, nos animaux d'aujourd'hui se reproduiront ou ne se reproduiront pas.

D'ALEMBERT

Et pourquoi les mêmes éléments épars venant à se réunir, ne rendraient-ils pas les mêmes résultats?

DIDEROT

C'est que tout tient dans la nature, et que celui qui suppose un nouveau phénomène ou ramène un instant passé, recrée un nouveau monde.

D'ALEMBERT

C'est ce qu'un penseur profond ne saurait nier. Mais pour en revenir à l'homme, puisque l'ordre général a voulu qu'il fût, rappelez-vous que c'est au passage d'être sentant à l'être pensant que vous m'avez laissé.

DIDEROT

Je m'en souviens.

D'ALEMBERT

Franchement vous m'obligeriez beaucoup de me tirer de là. Je suis un peu pressé de penser.

DIDEROT

Quand je n'en viendrais pas à bout, qu'en résulterait-il contre un enchaînement de faits incontestables?

D'ALEMBERT

Rien, sinon que nous serions arrêtés là tout court.

DIDEROT

Et pour aller plus loin, nous serait-il permis d'inventer un agent contradictoire dans ses attributs, un mot vide de sens, inintelligible?

D'ALEMBERT

Non.

DIDEROT

Pourriez-vous me dire ce que c'est que l'existence d'un être sentant, par rapport à lui-même?

D'ALEMBERT

C'est la conscience d'avoir été lui, depuis le premier instant de sa réflexion jusqu'au moment présent.

DIDEROT

Et sur quoi cette conscience est-elle fondée?

D'ALEMBERT

Sur la mémoire de ses actions.

DIDEROT

Et sans cette mémoire?

D'ALEMBERT

Sans cette mémoire il n'aurait point de lui, puisque, ne sentant son existence que dans le moment de l'impression, il n'aurait aucune histoire de sa vie. Sa vie serait une suite interrompue de sensations que rien ne lierait.

DIDEROT

Fort bien. Et qu'est-ce que la mémoire? d'où naît-elle?

D'ALEMBERT

D'une certaine organisation qui s'accroît, s'affaiblit et se perd quelquefois entièrement.

DIDEROT

Si donc un être qui sent et qui a cette organisation propre à la mémoire lie les impressions qu'il reçoit, forme par cette liaison une histoire qui est celle de sa vie, et acquiert la conscience de lui, il nie, il affirme, il conclut, il pense.

D'ALEMBERT

Cela me paraît; il ne me reste plus qu'une difficulté.

DIDEROT

Vous vous trompez; il vous en reste bien davantage.

D'ALEMBERT

Mais une principale; c'est qu'il me semble que nous ne pouvons penser qu'à une seule chose à la fois, et que pour former, je ne dis pas ces énormes chaînes de raisonnements qui embrassent dans leur circuit des milliers d'idées, mais une simple proposition, on dirait qu'il faut avoir au moins deux choses présentes, l'objet qui semble rester sous l'œil de l'entendement, tandis qu'il s'occupe de la qualité qu'il en affirmera ou niera.

DIDEROT

Je le pense; ce qui m'a fait quelquefois comparer les fibres de nos organes à des cordes vibrantes sensibles. La corde vibrante sensible oscille, résonne longtemps encore après qu'on l'a pincée. C'est cette oscillation, cette espèce de résonance nécessaire qui tient l'objet présent, tandis que l'entendement s'occupe de la qualité qui lui convient. Mais les cordes vibrantes ont encore une autre propriété, c'est d'en faire frémir d'autres; et c'est ainsi qu'une première idée en rappelle une seconde, ces deux-là une troisième, toutes les trois une quatrième, et ainsi de suite, sans qu'on puisse fixer la limite des idées réveillées, enchaînées, du philosophe qui médite ou qui s'écoute dans le silence et l'obscurité. Cet instrument a des sauts étonnants, et une idée réveillée va faire quelquefois frémir une harmonique qui en est à un intervalle incompréhensible. Si le phénomène s'observe entre des cordes sonores, inertes et séparées, comment n'aurait-il pas lieu entre des points vivants et liés, entre des fibres continues et sensibles?

D'ALEMBERT

Si cela n'est pas vrai, cela est au moins très ingénieux. Mais on serait tenté de croire que vous tombez imperceptiblement dans l'inconvénient que vous vouliez éviter.

DIDEROT

Quel?

D'ALEMBERT

Vous en voulez à la distinction des deux substances.

DIDEROT

Je ne m'en cache pas.

D'ALEMBERT

Et si vous y regardez de près, vous faites de l'entendement du philosophe un être distinct de l'instrument, une espèce de musicien qui prête l'oreille aux cordes vibrantes, et qui prononce sur leur consonance ou leur dissonance.

DIDEROT

Il se peut que j'aie donné lieu à cette objection, que peut-être vous ne m'eussiez pas faite si vous eussiez considéré la différence de l'instrument philosophe et de l'instrument clavecin. L'instrument philosophe est sensible; il est en même temps le musicien et l'instrument. Comme sensible, il a la conscience momentanée du son qu'il rend; comme animal, il en a la mémoire. Cette faculté organique, en liant les sons en lui-même, y produit et conserve la mélodie. Supposez au clavecin de la sensibilité et de la mémoire, et dites-moi s'il ne saura pas, s'il ne se répétera pas de lui-même les airs que vous aurez exécutés sur ses touches. Nous sommes des instruments doués de sensibilité et de mémoire. Nos sens sont autant de touches qui sont pincées par la nature qui nous environne, et qui se pincent souvent elles-mêmes; et voici, à mon jugement, tout ce qui se passe dans un clavecin organisé comme vous et moi. Il y a une impression qui a sa cause au dedans ou au dehors de l'instrument, une sensation qui naît de cette impression, une sensation qui dure; car il est impossible d'imaginer qu'elle se fasse et qu'elle s'éteigne dans un instant indivisible; une autre impression qui lui succède, et qui a pareillement sa cause au dedans et au dehors de l'animal; une seconde sensation et des voix qui les désignent par des sons naturels ou conventionnels.

D'ALEMBERT

J'entends. Ainsi donc, si ce clavecin sensible et animé était encore doué de la faculté de se nourrir et de se reproduire, il vivrait et engendrerait de lui-même, ou avec sa femelle, de petits clavecins vivants et résonnants.

mines the movement of energy

DIDEROT

Sans doute. A votre avis, qu'est-ce autre chose qu'un pinson, un rossignol, un musicien, un homme? Et quelle autre différence trouvez-vous entre le serin et la serinette? Voyez-vous cet œuf? c'est avec cela qu'on renverse toutes les écoles de théologie et tous les temples de la terre. Qu'est-ce que cet œuf? une masse insensible avant que le germe y soit introduit; et après que le germe y est introduit, qu'est-ce encore? une masse insensible, car ce germe n'est lui-même qu'un fluide inerte et grossier. Comment cette masse passera-t-elle à une autre organisation, à la sensibilité, à la vie? par la chaleur. Qu'y produira la chaleur? le mouvement. Quels seront les effets successifs du mouvement? Au lieu de me répondre, asseyez-vous, et suivons-les de l'œil de moment en moment. D'abord c'est un point qui oscille, un filet qui s'étend et qui se colore ; de la chair qui se forme ; un bec, des bouts d'ailes, des yeux, des pattes qui paraissent ; une matière jaunâtre qui se dévide et produit des intestins ; c'est un animal. Cet animal se meut, s'agite, crie ; j'entends ses cris à travers la coque ; il se couvre de duvet ; il voit. La pesanteur de sa tête, qui oscille, porte sans cesse son bec contre la paroi intérieure de sa prison ; la voilà brisée ; il en sort, il marche, il vole, il s'irrite, il fuit, il approche, il se plaint, il souffre, il aime, il désire, il jouit ; il a toutes vos affections ; toutes vos actions, il les fait. Prétendrez-vous, avec Descartes, que c'est une pure machine imitative ? Mais les petits enfants se moqueront de vous, et les philosophes vous répliqueront que si c'est là une machine, vous en êtes une autre. Si vous avouez qu'entre l'animal et vous il n'y a de différence que dans l'organisation, vous montrerez du sens et de la raison, vous serez de bonne foi ; mais on en conclura contre vous qu'avec une matière inerte, disposée d'une certaine manière, imprégnée d'une autre matière inerte, de la chaleur et du mouvement, on obtient de la sensibilité, de la vie, de la mémoire, de la conscience, des passions, de la pensée. Il ne vous reste qu'un de ces deux partis à prendre ; c'est d'imaginer dans la masse inerte de l'œuf un élément caché qui en attendait le développement pour manifester sa présence, ou de supposer que cet élément imperceptible s'y est insinué à travers la coque dans un instant déterminé du développement.

Mais qu'est-ce que cet élément? Occupait-il de l'espace, ou n'en occupait-il point? Comment est-il venu, ou s'est-il échappé, sans se mouvoir? Où était-il? Que faisait-il là ou ailleurs? A-t-il été créé à l'instant du besoin? Existait-il? Attendait-il un domicile? Était-il homogène ou hétérogène à ce domicile? Homogène, il était matériel; hétérogène, on ne conçoit ni son inertie avant le développement, ni son énergie dans l'animal développé. Écoutez-vous, et vous aurez pitié de vous-même; vous sentirez que, pour ne pas admettre une supposition simple qui explique tout, la sensibilité, propriété générale de la matière, ou produit de l'organisation, vous renoncez au sens commun, et vous précipitez dans un abîme de mystères, de contradictions et d'absurdités.

D'ALEMBERT

Une supposition! Cela vous plaît à dire. Mais si c'était une qualité essentiellement incompatible avec la matière?

DIDEROT

Et d'où savez-vous que la sensibilité est essentiellement incompatible avec la matière, vous qui ne connaissez l'essence de quoi que ce soit, ni de la matière, ni de la sensibilité? Entendez-vous mieux la nature du mouvement, son existence dans un corps, et sa communication d'un corps à un autre?

D'ALEMBERT

Sans concevoir la nature de la sensibilité, ni celle de la matière, je vois que la sensibilité est une qualité simple, une, indivisible et incompatible avec un sujet ou suppôt divisible.

DIDEROT

Galimatias métaphysico-théologique. Quoi? est-ce que vous ne voyez pas que toutes les qualités, toutes les formes sensibles dont la matière est revêtue, sont essentiellement indivisibles? Il n'y a ni plus ni moins d'impénétrabilité. Il y a la moitié d'un corps rond, mais il n'y a pas la moitié de la rondeur; il y a plus ou moins de mouvement, mais il n'y a ni plus ni moins mouvement; il n'y a ni la moitié, ni le tiers, ni le quart d'une tête, d'une oreille, d'un doigt, pas plus que la moitié, le tiers, le quart d'une pensée. Si dans l'univers il n'y a pas une molécule qui ressemble à une autre, dans une molécule pas un point qui ressemble à un autre point, convenez que l'atome même est doué d'une qualité, d'une forme indivisible; convenez que la division est incompatible avec les essences des formes, puisqu'elle les détruit. Soyez physicien, et convenez de la production d'un effet lorsque vous le voyez produit, quoique vous ne puissiez vous expliquer la liaison de la cause à l'effet. Soyez logicien, et ne substituez pas à une cause qui est et qui explique tout, une autre cause qui ne se conçoit pas, dont la liaison avec l'effet se conçoit

encore moins, qui engendre une multitude infinie
de difficultés, et qui n'en résout aucune.

D'ALEMBERT

Mais si je me dépars de cette cause?

DIDEROT

Il n'y a plus qu'une substance dans l'univers,
dans l'homme, dans l'animal. La serinette est de
bois, l'homme est de chair. Le serin est de chair,
le musicien est d'une chair diversement organisée;
mais l'un et l'autre ont une même origine, une
même formation, les mêmes fonctions et la même fin.

D'ALEMBERT

Et comment s'établit la convention des sons entre
vos deux clavecins?

DIDEROT

Un animal étant un instrument sensible parfaitement semblable à un autre, doué de la même
conformation, monté des mêmes cordes, pincé
de la même manière par la joie, par la douleur, par
la faim, par la soif, par la colique, par l'admiration,
par l'effroi, il est impossible qu'au pôle et sous la
ligne il rende des sons différents. Aussi trouverez-
vous les interjections à peu près les mêmes dans
toutes les langues mortes ou vivantes. Il faut tirer
du besoin et de la proximité l'origine des sons
conventionnels. L'instrument sensible ou l'animal
a éprouvé qu'en rendant tel son il s'ensuivait tel
effet hors de lui, que d'autres instruments sensibles
pareils à lui ou d'autres animaux semblables s'ap-

prochaient, s'éloignaient, demandaient, offraient, blessaient, caressaient, et ces effets se sont liés dans sa mémoire et dans celle des autres à la formation de ces sons. Et remarquez qu'il n'y a dans le commerce des hommes que des bruits et des actions. Et pour donner à mon système toute sa force, remarquez encore qu'il est sujet à la même difficulté insurmontable que Berkeley a proposée contre l'existence des corps. Il y a un moment de délire où le clavecin sensible a pensé qu'il était le seul clavecin qu'il y eût au monde, et que toute l'harmonie de l'univers se passait en lui.

D'ALEMBERT

Il y a bien des choses à dire là-dessus.

DIDEROT

Cela est vrai.

D'ALEMBERT

Par exemple, on ne conçoit pas trop, d'après votre système, comment nous formons des syllogismes, ni comment nous tirons des conséquences.

DIDEROT

C'est que nous n'en tirons point : elles sont toutes tirées par la nature. Nous ne faisons qu'énoncer des phénomènes conjoints, dont la liaison est ou nécessaire ou contingente, phénomènes qui nous sont connus par l'expérience : nécessaires en mathématiques, en physique et autres sciences rigoureuses; contingents en morale, en politique et autres sciences conjecturales.

D'ALEMBERT

Est-ce que la liaison des phénomènes est moins nécessaire dans un cas que dans un autre?

DIDEROT

Non; mais la cause subit trop de vicissitudes particulières qui nous échappent, pour que nous puissions compter infailliblement sur l'effet qui s'ensuivra. La certitude que nous avons qu'un homme violent s'irritera d'une injure, n'est pas la même que celle qu'un corps qui en frappe un plus petit le mettra en mouvement.

D'ALEMBERT

Et l'analogie?

DIDEROT

L'analogie, dans les cas les plus composés, n'est qu'une règle de trois qui s'exécute dans l'instrument sensible. Si tel phénomène connu en nature est suivi de tel autre phénomène connu en nature, quel sera le quatrième phénomène conséquent à un troisième, ou donné par la nature, ou imaginé à l'imitation de nature? Si la lance d'un guerrier ordinaire a dix pieds de long, quelle sera la lance d'Ajax? Si je puis lancer une pierre de quatre livres, Diomède doit remuer un quartier de rocher. Les enjambées des dieux et les bonds de leurs chevaux seront dans le rapport imaginé des dieux à l'homme. C'est une quatrième corde harmonique

et proportionnelle à trois autres dont l'animal
attend la résonance qui se fait toujours en lui-
même, mais qui ne se fait pas toujours en nature.
Peu importe au poète, il n'en est pas moins vrai.
C'est autre chose pour le philosophe; il faut qu'il
interroge ensuite la nature qui, lui donnant souvent
un phénomène tout à fait différent de celui qu'il
avait présumé, alors il s'aperçoit que l'analogie
l'a séduit.

D'ALEMBERT

Adieu, mon ami, bonsoir et bonne nuit.

DIDEROT

Vous plaisantez; mais vous rêverez sur votre
oreiller à cet entretien, et s'il n'y prend pas de la
consistance, tant pis pour vous, car vous serez
forcé d'embrasser des hypothèses bien autrement
ridicules.

D'ALEMBERT

Vous vous trompez; sceptique je me serai couché,
sceptique je me lèverai.

DIDEROT

Sceptique! Est-ce qu'on est sceptique?

D'ALEMBERT

En voici bien d'une autre? N'allez-vous pas me
soutenir que je ne suis pas sceptique? Et qui le
sait mieux que moi?

DIDEROT

Attendez un moment.

D'ALEMBERT

Dépêchez-vous, car je suis pressé de dormir.

DIDEROT

Je serai court. Croyez-vous qu'il y ait une seule question discutée sur laquelle un homme reste avec une égale et rigoureuse mesure de raison pour et contre?

D'ALEMBERT

Non, ce serait l'âne de Buridan.

DIDEROT

En ce cas, il n'y a donc point de sceptique, puisqu'à l'exception des questions de mathématiques, qui ne comportent pas la moindre incertitude, il y a du pour et du contre dans toutes les autres. La balance n'est donc jamais égale, et il est impossible qu'elle ne penche pas du côté où nous croyons le plus de vraisemblance.

D'ALEMBERT

Mais je vois le matin la vraisemblance à ma droite, et l'après-midi elle est à ma gauche.

DIDEROT

C'est-à-dire que vous êtes dogmatique pour, le matin, et dogmatique contre, l'après-midi.

D'ALEMBERT

Et le soir, quand je me rappelle cette inconstance si rapide de mes jugements, je ne crois rien, ni du matin, ni de l'après-midi.

DIDEROT

C'est-à-dire que vous ne vous rappelez plus la prépondérance des deux opinions entre lesquelles vous avez oscillé; que cette prépondérance vous paraît trop légère pour asseoir un sentiment fixe, et que vous prenez le parti de ne plus vous occuper de sujets aussi problématiques, d'en abandonner la discussion aux autres, et de n'en pas disputer davantage.

D'ALEMBERT

Cela se peut.

DIDEROT

Mais si quelqu'un vous tirait à l'écart et, vous questionnant d'amitié, vous demandait, en conscience, des deux partis quel est celui où vous trouvez le moins de difficultés, de bonne foi seriez-

vous embarrassé de répondre, et réaliseriez-vous
l'âne de Buridan?

D'ALEMBERT

Je crois que non.

DIDEROT

Tenez, mon ami, si vous y pensez bien, vous
trouverez qu'en tout, notre véritable sentiment
n'est pas celui dans lequel nous n'avons jamais
vacillé, mais celui auquel nous sommes le plus
habituellement revenus.

D'ALEMBERT

Je crois que vous avez raison.

DIDEROT

Et moi aussi. Bonsoir, mon ami, et *memento
quia pulvis es, et in pulverem reverteris.*

D'ALEMBERT

Cela est triste.

DIDEROT

Et nécessaire. Accordez à l'homme, je ne dis
pas l'immortalité, mais seulement le double de
sa durée, et vous verrez ce qui en arrivera.

D'ALEMBERT

Et que voulez-vous qu'il en arrive? Mais qu'est-
ce que cela me fait? Qu'il en arrive ce qui pourra.
Je veux dormir, bonsoir.

LE RÊVE DE D'ALEMBERT

INTERLOCUTEURS

D'ALEMBERT, Mademoiselle de L'ESPINASSE,

le médecin BORDEU.

BORDEU

Eh bien! qu'est-ce qu'il y a de nouveau? Est-ce qu'il est malade?

MADEMOISELLE DE L'ESPINASSE

Je le crains; il a eu la nuit la plus agitée.

BORDEU

Est-il éveillé?

MADEMOISELLE DE L'ESPINASSE

Pas encore.

BORDEU

(Après s'être approché du lit de d'Alembert et lui avoir tâté le pouls et la peau.)

Ce ne sera rien.

MADEMOISELLE DE L'ESPINASSE

Vous croyez?

BORDEU

J'en réponds. Le pouls est bon... un peu faible... la peau moite... la respiration facile.

MADEMOISELLE DE L'ESPINASSE

N'y a-t-il rien à lui faire?

BORDEU

Rien.

MADEMOISELLE DE L'ESPINASSE

Tant mieux, car il déteste les remèdes.

BORDEU

Et moi aussi. Qu'a-t-il mangé à souper?

MADEMOISELLE DE L'ESPINASSE

Il n'a rien voulu prendre. Je ne sais où il avait passé la soirée, mais il est revenu soucieux.

BORDEU

C'est un petit mouvement fébrile qui n'aura point de suite.

MADEMOISELLE DE L'ESPINASSE

En rentrant, il a pris sa robe de chambre, son bonnet de nuit, et s'est jeté dans son fauteuil, où il s'est assoupi.

BORDEU

Le sommeil est bon partout; mais il eût été mieux dans son lit.

MADEMOISELLE DE L'ESPINASSE

Il s'est fâché contre Antoine, qui le lui disait; et il a fallu le tirailler une demi-heure pour le faire coucher.

BORDEU

C'est ce qui m'arrive tous les jours, quoique je me porte bien.

MADEMOISELLE DE L'ESPINASSE

Quand il a été couché, au lieu de reposer à son ordinaire, car il dort comme un enfant, il s'est mis à se tourner, à se retourner, à tirer ses bras, à écarter ses couvertures, et à parler haut.

BORDEU

Et qu'est-ce qu'il disait? de la géométrie?

MADEMOISELLE DE L'ESPINASSE

Non; cela avait tout l'air du délire. C'était, en commençant, un galimatias de cordes vibrantes et de fibres sensibles. Cela m'a paru si fou que, résolue de ne le pas quitter de la nuit et ne sachant que faire, j'ai approché une petite table du pied de son lit, et me suis mise à écrire tout ce que j'ai pu attraper de sa rêvasserie.

BORDEU

Bon tour de tête qui est bien de vous. Et peut-on voir cela?

MADEMOISELLE DE L'ESPINASSE

Sans difficulté; mais je veux mourir, si vous y comprenez quelque chose.

BORDEU

Peut-être.

MADEMOISELLE DE L'ESPINASSE

Docteur, êtes-vous prêt?

BORDEU

Oui.

MADEMOISELLE DE L'ESPINASSE

Écoutez. « Un point vivant... Non, je me trompe. Rien d'abord, puis un point vivant... A ce point vivant il s'en applique un autre, encore un autre; et par ces applications successives il résulte un être un, car je suis bien un, je n'en saurais douter...

(En disant cela, il se tâtait partout.) Mais comment cette unité s'est-elle faite? (Eh! mon ami, lui ai-je dit, qu'est-ce que cela vous fait? dormez... Il s'est tu. Après un moment de silence il a repris comme s'il s'adressait à quelqu'un.) Tenez, philosophe, je vois bien un agrégat, un tissu de petits êtres sensibles, mais un animal!... un tout! un système un, lui, ayant la conscience de son unité! Je ne le vois pas, non, je ne le vois pas... » Docteur, y entendez-vous quelque chose?

BORDEU

A merveille.

MADEMOISELLE DE L'ESPINASSE

Vous êtes bien heureux... « Ma difficulté vient peut-être d'une fausse idée. »

BORDEU

Est-ce vous qui parlez?

MADEMOISELLE DE L'ESPINASSE

Non, c'est le rêveur.

BORDEU

Continuez.

MADEMOISELLE DE L'ESPINASSE

Je continue... Il a ajouté, en s'apostrophant lui-même : « Mon ami d'Alembert, prenez-y

garde, vous ne supposez que de la contiguïté où
il y a continuité... Oui, il est assez malin pour me
dire cela... Et la formation de cette continuité?
Elle ne l'embarrassera guère... Comme une goutte
de mercure se fond dans une autre goutte de mercure, une molécule sensible et vivante se fond dans
une molécule sensible et vivante... D'abord il y
avait deux gouttes, après le contact il n'y en a plus
qu'une... Avant l'assimilation il y avait deux
molécules, après l'assimilation il n'y en a plus
qu'une... La sensibilité devient commune à la
masse commune. En effet, pourquoi non?... Je
distinguerai par la pensée sur la longueur de la
fibre animale tant de parties qu'il me plaira, mais
la fibre sera continue, une... oui, une... Le contact
de deux molécules homogènes, parfaitement homogènes, forme la continuité... et c'est le cas de l'union,
de la cohésion, de la combinaison, de l'identité
la plus complète qu'on puisse imaginer... Oui,
philosophe, si ces molécules sont élémentaires et
simples; mais si ce sont des agrégats, si ce sont des
composés?... La combinaison ne s'en fera pas
moins, et en conséquence l'identité, la continuité...
Et puis l'action et la réaction habituelles... Il est
certain que le contact de deux molécules vivantes
est tout autre chose que la contiguïté de deux
masses inertes... Passons, passons; on pourrait
peut-être vous chicaner; mais je ne m'en soucie
pas; je n'épilogue jamais... Cependant reprenons.
Un fil d'or très pur, je m'en souviens, c'est une
comparaison qu'il m'a faite; un réseau homogène,
entre les molécules duquel d'autres s'interposent

et forment peut-être un autre réseau homogène, un tissu de matière sensible, un contact qui assimile, de la sensibilité active ici, inerte là, qui se communique comme le mouvement, sans compter, comme il l'a très bien dit, qu'il doit y avoir de la différence entre le contact de deux molécules sensibles et le contact de deux molécules qui ne le seraient pas; et cette différence, quelle peut-elle être?... une action, une réaction habituelles... et cette action et cette réaction avec un caractère particulier... Tout concourt donc à produire une sorte d'unité qui n'existe que dans l'animal... Ma foi, si ce n'est pas là de la vérité, cela y ressemble fort... » Vous riez, docteur; est-ce que vous trouvez du sens à cela?

BORDEU

Beaucoup.

MADEMOISELLE DE L'ESPINASSE

Il n'est donc pas fou?

BORDEU

Nullement.

MADEMOISELLE DE L'ESPINASSE

Après ce préambule, il s'est mis à crier : « Mademoiselle de l'Espinasse! mademoiselle de l'Espinasse! — Que voulez-vous? — Avez-vous quelquefois vu un essaim d'abeilles s'échapper de leur ruche?... Le monde, ou la masse générale de la

2

matière, est la grande ruche... Les avez-vous vues
s'en aller former à l'extrémité de la branche d'un
arbre une longue grappe de petits animaux ailés,
tous accrochés les uns aux autres par les pattes?...
Cette grappe est un être, un individu, un animal
quelconque... Mais ces grappes devraient se ressembler toutes... Oui, s'il n'admettait qu'une seule
matière homogène... Les avez-vous vues? — Oui,
je les ai vues. — Vous les avez vues? — Oui, mon
ami, je vous dis que oui. — Si l'une de ces abeilles
s'avise de pincer d'une façon quelconque l'abeille
à laquelle elle s'est accrochée, que croyez-vous
qu'il en arrive? Dites donc. — Je n'en sais rien. —
Dites toujours... Vous l'ignorez donc, mais le
philosophe ne l'ignore pas, lui. Si vous le voyez
jamais, et vous le verrez ou vous ne le verrez pas,
car il vous l'a promis, il vous dira que celle-ci
pincera la suivante; qu'il s'excitera dans toute la
grappe autant de sensations qu'il y a de petits
animaux; que le tout s'agitera, se remuera, chan-
gera de situation et de forme; qu'il s'élèvera du
bruit, de petits cris, et que celui qui n'aurait jamais
vu une pareille grappe s'arranger, serait tenté de
la prendre pour un animal à cinq ou six cents
têtes et à mille ou douze cents ailes... » Eh bien,
docteur?

BORDEU

Eh bien, savez-vous que ce rêve est fort beau,
et que vous avez bien fait de l'écrire.

MADEMOISELLE DE L'ESPINASSE

Rêvez-vous aussi?

BORDEU

Si peu, que je m'engagerais presque à vous dire
la suite.

MADEMOISELLE DE L'ESPINASSE

Je vous en défie.

BORDEU

Vous m'en défiez?

MADEMOISELLE DE L'ESPINASSE

Oui.

BORDEU

Et si je rencontre?

MADEMOISELLE DE L'ESPINASSE

Si vous rencontrez, je vous promets... je vous
promets de vous tenir pour le plus grand fou qu'il
y ait au monde.

BORDEU

Regardez sur votre papier et écoutez-moi :
L'homme qui prendrait cette grappe pour un animal
se tromperait; mais, mademoiselle, je présume
qu'il a continué de vous adresser la parole. Voulez-

vous qu'il juge plus sainement? Voulez-vous transformer la grappe d'abeilles en un seul et unique
animal? amollissez les pattes par lesquelles elles
se tiennent; de contiguës qu'elles étaient, rendez-
les continues. Entre ce nouvel état de la grappe
et le précédent, il y a certainement une différence
marquée; et quelle peut être cette différence, sinon
qu'à présent c'est un tout, un animal un, et qu'aupa-
ravant ce n'était qu'un assemblage d'animaux?...
Tous nos organes...

MADEMOISELLE DE L'ESPINASSE

Tous nos organes!

BORDEU

Pour celui qui a exercé la médecine et fait quelques observations...

MADEMOISELLE DE L'ESPINASSE

Après!

BORDEU

Après? Ne sont que des animaux distincts que
la loi de continuité tient dans une sympathie, une
unité, une identité générale.

MADEMOISELLE DE L'ESPINASSE

J'en suis confondue; c'est cela, et presque mot
pour mot. Je puis donc assurer à présent à toute

la terre qu'il n'y a aucune différence entre un médecin qui veille et un philosophe qui rêve.

BORDEU

On s'en doutait. Est-ce là tout?

MADEMOISELLE DE L'ESPINASSE

Oh! que non, vous n'y êtes pas. Après votre radotage ou le sien, il m'a dit : « Mademoiselle? — Mon ami. — Approchez-vous... encore... encore... J'aurais une chose à vous proposer. — Qu'est-ce? — Tenez cette grappe, la voilà, vous la voyez bien là, là; faisons une expérience. — Quelle? — Prenez vos ciseaux ; coupent-ils bien? — A ravir. — Approchez doucement, tout doucement, et séparez-moi ces abeilles, mais prenez garde de les diviser par la moitié du corps, coupez juste à l'endroit où elles se sont assimilées par les pattes. Ne craignez rien, vous les blesserez un peu, mais vous ne les tuerez pas... Fort bien, vous êtes adroite comme une fée... Voyez-vous comment elles s'envolent chacune de son côté? Elles s'envolent une à une, deux à deux, trois à trois. Combien il y en a! Si vous m'avez bien compris... vous m'avez bien compris? — Fort bien. — Supposez maintenant... supposez... » Ma foi, docteur, j'entendais si peu ce que j'écrivais; il parlait si bas, cet endroit de mon papier est si barbouillé que je ne le saurais lire.

BORDEU

J'y suppléerai, si vous voulez.

MADEMOISELLE DE L'ESPINASSE

Si vous pouvez.

BORDEU

Rien de plus facile. Supposez ces abeilles si petites, si petites que leur organisation échappât toujours au tranchant grossier de votre ciseau : vous pousserez la division si loin qu'il vous plaira sans en faire mourir aucune, et ce tout, formé d'abeilles imperceptibles, sera un véritable polype que vous ne détruirez qu'en l'écrasant. La différence de la grappe d'abeilles continues, et de la grappe d'abeilles contiguës, est précisément celle des animaux ordinaires, tels que nous, les poissons, et des vers, des serpents et des animaux polypeux ; encore toute cette théorie souffre-t-elle quelques modifications...

(Ici mademoiselle de l'Espinasse se lève brusquement et va tirer le cordon de la sonnette.)

Doucement, doucement, mademoiselle, vous l'éveillerez et il a besoin de repos.

MADEMOISELLE DE L'ESPINASSE

Je n'y pensais pas, tant j'en suis étourdie.
(Au domestique qui entre.)
Qui de vous a été chez le docteur ?

LE DOMESTIQUE

C'est moi, mademoiselle.

MADEMOISELLE DE L'ESPINASSE

Y a-t-il longtemps?

LE DOMESTIQUE

Il n'y a pas une heure que j'en suis revenu.

MADEMOISELLE DE L'ESPINASSE

N'y avez-vous rien porté?

LE DOMESTIQUE

Rien.

MADEMOISELLE DE L'ESPINASSE

Point de papier?

LE DOMESTIQUE

Aucun.

MADEMOISELLE DE L'ESPINASSE

Voilà qui est bien, allez... Je n'en reviens pas. Tenez, docteur, j'ai soupçonné quelqu'un d'eux de vous avoir communiqué mon griffonnage.

BORDEU

Je vous assure qu'il n'en est rien.

MADEMOISELLE DE L'ESPINASSE

Docteur, à présent que je connais votre talent, vous me serez d'un grand secours dans la société. Sa rêvasserie n'en est pas demeurée là.

BORDEU

Tant mieux.

MADEMOISELLE DE L'ESPINASSE

Vous n'y voyez donc rien de fâcheux?

BORDEU

Pas la moindre chose.

MADEMOISELLE DE L'ESPINASSE

Il a continué... « Eh bien, philosophe, vous concevez donc des polypes de toute espèce, même des polypes humains?... Mais la nature ne nous en offre point. »

BORDEU

Il n'avait pas connaissance de ces deux filles qui se tenaient par la tête, les épaules, le dos, les fesses et les cuisses, qui ont vécu ainsi accolées jusqu'à l'âge de vingt-deux ans, et qui sont mortes à quelques minutes l'une de l'autre. Ensuite il a dit?...

MADEMOISELLE DE L'ESPINASSE

Des folies qui ne s'entendent qu'aux Petites-Maisons. Il a dit : « Cela est passé ou cela viendra. Et puis qui sait l'état des choses dans les autres planètes? »

BORDEU

Peut-être ne faut-il pas aller si loin.

MADEMOISELLE DE L'ESPINASSE

« Dans Jupiter ou dans Saturne, des polypes humains! Les mâles se résolvant en mâles, les femelles en femelles, cela est plaisant... (Là, il s'est mis à faire des éclats de rire à m'effrayer.) L'homme se résolvant en une infinité d'hommes atomiques, qu'on renferme entre des feuilles de papier comme des œufs d'insectes, qui filent leurs coques, qui restent un certain temps en chrysalides, qui percent leurs coques et qui s'échappent en papillons, une société d'hommes formée, une province entière peuplée des débris d'un seul, cela est tout à fait agréable à imaginer... (Et puis les éclats de rire ont repris.) Si l'homme se résout quelque part en une infinité d'hommes animalcules, on y doit avoir moins de répugnance à mourir; on y répare si facilement la perte d'un homme, qu'elle y doit causer peu de regret. »

BORDEU

Cette extravagante supposition est presque l'histoire réelle de toutes les espèces d'animaux subsistants et à venir. Si l'homme ne se résout pas en une infinité d'hommes, il se résout, du moins, en une infinité d'animalcules dont il est impossible de prévoir les métamorphoses et l'organisation future et dernière. Qui sait si ce n'est pas la pépinière d'une seconde génération d'êtres, séparée de celle-ci par un intervalle incompréhensible de siècles et de développements successifs?

MADEMOISELLE DE L'ESPINASSE

Que marmottez-vous là tout bas, docteur?

BORDEU

Rien, rien, je rêvais de mon côté. Mademoiselle, continuez de lire.

MADEMOISELLE DE L'ESPINASSE

« Tout bien considéré, pourtant, j'aime mieux notre façon de repeupler, a-t-il ajouté... Philosophe, vous qui savez ce qui se passe là ou ailleurs, dites-moi, la dissolution de différentes parties n'y

donne-t-elle pas des hommes de différents carac-
tères? La cervelle, le cœur, la poitrine, les pieds,
les mains, les testicules... Oh! comme cela simplifie
la morale!... Un homme né, une femme provenue...
(Docteur, vous me permettrez de passer ceci...)
Une chambre chaude, tapissée de petits cornets,
et sur chacun de ces cornets une étiquette : guerriers,
magistrats, philosophes, poètes, cornet de courti-
sans, cornet de catins, cornet de rois. »

BORDEU

Cela est bien gai et bien fou. Voilà ce qui s'appelle rêver, et une vision qui me ramène à quelques
phénomènes assez singuliers.

MADEMOISELLE DE L'ESPINASSE

Ensuite il s'est mis à marmotter je ne sais quoi
de graines, de lambeaux de chair mis en macération
dans de l'eau, de différentes races d'animaux
successifs qu'il voyait naître et passer. Il avait
imité avec sa main droite le tube d'un microscope,
et avec sa gauche, je crois, l'orifice d'un vase. Il
regardait dans le vase par ce tube, et il disait : « Le
Voltaire en plaisantera tant qu'il voudra, mais
l'Anguillard a raison; j'en crois mes yeux; je les
vois : combien il y en a! comme ils vont! comme ils
viennent! comme ils frétillent!... » Le vase où il
apercevait tant de générations momentanées, il le
comparait à l'univers; il voyait dans une goutte

d'eau l'histoire du monde. Cette idée lui paraissait grande; il la trouvait tout à fait conforme à la bonne philosophie qui étudie les grands corps dans les petits. Il disait : « Dans la goutte d'eau de Needham, tout s'exécute et se passe en un clin d'œil. Dans le monde, le même phénomène dure un peu davantage; mais qu'est-ce que notre durée en comparaison de l'éternité des temps? moins que la goutte que j'ai prise avec la pointe d'une aiguille, en comparaison de l'espace illimité qui m'environne. Suite indéfinie d'animalcules dans l'atome qui fermente, même suite indéfinie d'animalcules dans l'autre atome qu'on appelle la Terre. Qui sait les races d'animaux qui nous ont précédés? qui sait les races d'animaux qui succéderont aux nôtres? Tout change, tout passe, il n'y a que le tout qui reste. Le monde commence et finit sans cesse; il est à chaque instant à son commencement et à sa fin; il n'en a jamais eu d'autre, et n'en aura jamais d'autre.

« Dans cet immense océan de matière, pas une molécule qui ressemble à une molécule, pas une molécule qui se ressemble à elle-même un instant : *Rerum novus nascitur ordo*, voilà son inscription éternelle... » Puis il ajoutait en soupirant : « O vanité de nos pensées! ô pauvreté de la gloire et de nos travaux! ô misère! ô petitesse de nos vues! Il n'y a rien de solide que de boire, manger, vivre, aimer et dormir... Mademoiselle de l'Espinasse, où êtes-vous? — Me voilà. » Alors son visage s'est coloré. J'ai voulu lui tâter le pouls, mais je ne sais où il avait caché sa main. Il paraissait éprouver une convulsion. Sa bouche s'était entrouverte, son haleine était pressée; il a poussé un profond soupir, et puis un soupir plus faible et plus profond encore; il a retourné sa tête sur son oreiller et s'est endormi. Je le regardais avec attention, et j'étais tout émue sans savoir pourquoi, le cœur me battait, et ce n'était pas de peur. Au bout de quelques moments, j'ai vu un léger sourire errer sur ses lèvres; il disait tout bas : « Dans une planète où les hommes se multiplieraient à la manière des poissons, où le frai d'un homme pressé sur le frai d'une femme... J'y aurais moins de regret... Il ne faut rien perdre de ce qui peut avoir son utilité. Mademoiselle, si cela pouvait se recueillir, être enfermé dans un flacon et envoyé de grand matin à Needham... » Docteur, et vous n'appelez pas cela de la déraison?

BORDEU

Auprès de vous, assurément.

MADEMOISELLE DE L'ESPINASSE

Auprès de moi, loin de moi, c'est tout un, et vous ne savez ce que vous dites. J'avais espéré que le reste de la nuit serait tranquille.

BORDEU

Cela produit ordinairement cet effet.

MADEMOISELLE DE L'ESPINASSE

Point du tout; sur les deux heures du matin, il en est revenu à sa goutte d'eau, qu'il appelait un mi... cro...

BORDEU

Un microcosme.

MADEMOISELLE DE L'ESPINASSE

C'est son mot. Il admirait la sagacité des anciens philosophes. Il disait ou faisait dire à son philosophe, je ne sais lequel des deux : « Si lorsque Épicure assurait que la terre contenait les germes de tout, et que l'espèce animale était le produit de la fermentation, il avait proposé de montrer une image en petit de ce qui s'était fait en grand à l'origine des temps, que lui aurait-on répondu?... Et vous l'avez sous vos yeux cette image, et elle ne vous apprend rien... Qui sait si la fermentation et ses produits sont épuisés? Qui sait à quel instant de la succession de ces générations animales nous en sommes? Qui sait si ce bipède déformé, qui n'a que quatre pieds de hauteur, qu'on appelle encore dans le voisinage du pôle un homme, et qui ne tarderait pas à perdre ce nom en se déformant un peu davantage, n'est pas l'image d'une espèce qui passe? Qui sait s'il n'en est pas ainsi de toutes les espèces d'animaux? Qui sait si tout ne tend pas à se réduire à un grand sédiment inerte et immobile? Qui sait quelle sera la durée de cette inertie? Qui sait quelle race nouvelle peut résulter derechef d'un amas aussi grand de points sensibles et vivants? Pourquoi pas un seul animal? Qu'était l'éléphant dans son origine ? Peut-être l'animal énorme tel qu'il nous paraît, peut-être un atome, car tous les deux sont également possibles ; ils ne supposent que le mouvement et les propriétés diverses de la matière... L'éléphant, cette masse énorme, organisée, le produit subit de la fermentation! Pourquoi non? Le rapport de ce grand quadrupède à sa matrice première est moindre que celui du vermisseau à la molécule de farine qui le produit; mais le vermisseau n'est qu'un vermisseau... C'est-à-dire que la petitesse qui vous dérobe son organisation lui ôte son merveilleux... Le prodige, c'est la vie, c'est la sensibilité; et ce prodige n'en est plus un... Lorsque j'ai vu la matière inerte passer à l'état sensible, rien ne doit plus m'étonner... Quelle comparaison d'un petit nombre d'éléments mis en fermentation dans le creux de ma main, et de ce réservoir immense d'éléments divers épars dans les entrailles de la terre, à sa surface, au sein des mers, dans le vague des airs!... Cependant, puisque les mêmes causes subsistent, pourquoi les effets ont-ils cessé? Pourquoi ne voyons-nous plus le taureau percer la terre de sa corne, appuyer ses pieds contre le sol, et faire effort pour en dégager son corps pesant?... Laissez passer la race présente des animaux subsistants; laissez agir le grand sédiment inerte quelques millions de siècles. Peut-être faut-il, pour renouveler les espèces, dix fois plus de temps qu'il n'est accordé à leur durée.

Attendez, et ne vous hâtez pas de prononcer sur le travail de nature. Vous avez deux grands phénomènes, le passage de l'état d'inertie à l'état de sensibilité, et les générations spontanées ; qu'ils vous suffisent : tirez-en de justes conséquences, et dans un ordre de choses où il n'y a ni grand ni petit, ni durable, ni passager absolus, garantissez-vous du sophisme de l'éphémère... » Docteur, qu'est-ce que c'est que le sophisme de l'éphémère ?

BORDEU

C'est celui d'un être passager qui croit à l'immutabilité des choses.

MADEMOISELLE DE L'ESPINASSE

La rose de Fontenelle qui disait que de mémoire de rose on n'avait vu mourir un jardinier ?

BORDEU

Précisément ; cela est léger et profond.

MADEMOISELLE DE L'ESPINASSE

Pourquoi vos philosophes ne s'expriment-ils pas avec la grâce de celui-ci ? nous les entendrions.

BORDEU

Franchement, je ne sais si ce ton frivole convient aux sujets graves.

MADEMOISELLE DE L'ESPINASSE

Qu'appelez-vous un sujet grave?

BORDEU

Mais la sensibilité générale, la formation de l'être sentant, son unité l'origine des animaux, leur durée, et toutes les questions auxquelles cela tient.

MADEMOISELLE DE L'ESPINASSE

Moi, j'appelle cela des folies auxquelles je permets de rêver quand on dort, mais dont un homme de bon sens qui veille ne s'occupera jamais.

BORDEU

Et pourquoi cela, s'il vous plaît?

MADEMOISELLE DE L'ESPINASSE

C'est que les unes sont si claires qu'il est inutile d'en chercher la raison, d'autres si obscures qu'on n'y voit goutte, et toutes de la plus parfaite inutilité.

BORDEU

Croyez-vous, mademoiselle, qu'il soit indifférent de nier ou d'admettre une intelligence suprême?

MADEMOISELLE DE L'ESPINASSE

Non.

BORDEU

Croyez-vous qu'on puisse prendre parti sur l'intelligence suprême, sans savoir à quoi s'en tenir sur l'éternité de la matière et ses propriétés, la distinction des deux substances, la nature de l'homme et la production des animaux?

MADEMOISELLE DE L'ESPINASSE

Non.

BORDEU

Ces questions ne sont donc pas aussi oiseuses que vous les disiez.

MADEMOISELLE DE L'ESPINASSE

Mais que me fait à moi leur importance, si je ne saurais les éclaircir?

BORDEU

Et comment le saurez-vous, si vous ne les examinez point? Mais pourrais-je vous demander celles que vous trouvez si claires que l'examen vous en paraît superflu?

MADEMOISELLE DE L'ESPINASSE

Celle de mon unité, de mon moi, par exemple. Pardi, il me semble qu'il ne faut pas tant verbiager pour savoir que je suis moi, que j'ai toujours été moi, et que je ne serai jamais une autre.

BORDEU

Sans doute le fait est clair, mais la raison du fait ne l'est aucunement, surtout dans l'hypothèse de ceux qui n'admettent qu'une substance et qui expliquent la formation de l'homme ou de l'animal en général par l'apposition successive de plusieurs molécules sensibles. Chaque molécule sensible avait son moi avant l'application; mais comment l'a-t-elle perdu, et comment de toutes ces pertes en est-il résulté la conscience d'un tout?

MADEMOISELLE DE L'ESPINASSE

Il me semble que le contact seul suffit. Voici une expérience que j'ai faite cent fois... mais attendez... Il faut que j'aille voir ce qui se passe entre ces rideaux... il dort... Lorsque je pose ma main sur ma cuisse, je sens bien d'abord que ma main n'est pas ma cuisse, mais quelque temps après, lorsque la chaleur est égale dans l'une et l'autre, je ne les distingue plus; les limites des deux parties se confondent et elles n'en font plus qu'une.

BORDEU

Oui, jusqu'à ce qu'on vous pique l'une ou l'autre; alors la distinction renaît. Il y a donc en vous quelque chose qui n'ignore pas si c'est votre main ou votre cuisse qu'on a piquée, et ce quelque chose-là, ce n'est pas votre pied, ce n'est pas même votre main piquée; c'est elle qui souffre, mais c'est autre chose qui le sait et qui ne souffre pas.

MADEMOISELLE DE L'ESPINASSE

Mais je crois que c'est ma tête.

BORDEU

Toute votre tête?

MADEMOISELLE DE L'ESPINASSE

Non, mais tenez, docteur, je vais m'expliquer par une comparaison; les comparaisons sont presque toute la raison des femmes et des poètes. Imaginez une araignée...

D'ALEMBERT

Qui est-ce qui est là?... Est-ce vous, mademoiselle de l'Espinasse?

MADEMOISELLE DE L'ESPINASSE

Paix, paix...

(Mademoiselle de l'Espinasse et le docteur gardèrent le silence pendant quelque temps, ensuite mademoiselle de l'Espinasse dit à voix basse :)

Je le crois rendormi.

BORDEU

Non, il me semble que j'entends quelque chose.

MADEMOISELLE DE L'ESPINASSE

Vous avez raison; est-ce qu'il reprendrait son rêve?

BORDEU

Écoutons.

D'ALEMBERT

Pourquoi suis-je tel? c'est qu'il a fallu que je fusse tel... Ici, oui, mais ailleurs? au pôle? mais sous la ligne? mais dans Saturne?... Si une distance de quelque mille lieues change mon espèce, que ne fera point l'intervalle de quelques milliers de diamètres terrestres?... Et si tout est en flux général, comme le spectacle de l'univers me le montre partout, que ne produiront point ici et ailleurs la durée et les vicissitudes de quelques millions de siècles? Qui sait ce qu'est l'être pensant et sentant en Saturne?... Mais y a-t-il en Saturne du sentiment et de la pensée?... pourquoi non?... L'être sentant et pensant en Saturne aurait-il plus de sens que je n'en ai?... Si cela est, ah! qu'il est malheureux le Saturnien!... Plus de sens, plus de besoins.

BORDEU

Il a raison; les organes produisent les besoins, et réciproquement les besoins produisent les organes.

MADEMOISELLE DE L'ESPINASSE

Docteur, délirez-vous aussi?

BORDEU

Pourquoi non? J'ai vu deux moignons devenir à la longue deux bras.

MADEMOISELLE DE L'ESPINASSE

Vous mentez.

BORDEU

Il est vrai; mais au défaut de deux bras qui manquaient, j'ai vu deux omoplates s'allonger, se mouvoir en pince, et devenir deux moignons.

MADEMOISELLE DE L'ESPINASSE

Quelle folie!

BORDEU

C'est un fait. Supposez une longue suite de générations manchotes, supposez des efforts continus, et vous verrez les deux côtés de cette pincette s'étendre, s'étendre de plus en plus, se croiser sur le dos, revenir par devant, peut-être se digiter à leurs extrémités, et refaire des bras et des mains. La conformation originelle s'altère ou se perfectionne par la nécessité et les fonctions habituelles. Nous marchons si peu, nous travaillons si peu et nous pensons tant, que je ne désespère pas que l'homme ne finisse par n'être qu'une tête.

MADEMOISELLE DE L'ESPINASSE

Une tête! une tête! c'est bien peu de chose;
j'espère que la galanterie effrénée... Vous me faites
venir des idées bien ridicules.

BORDEU

Paix.

D'ALEMBERT

Je suis donc tel, parce qu'il a fallu que je fusse
tel. Changez le tout, vous me changez nécessairement; mais le tout change sans cesse... L'homme
n'est qu'un effet commun, le monstre qu'un effet
rare; tous les deux également naturels, également
nécessaires, également dans l'ordre universel et
général... Et qu'est-ce qu'il y a d'étonnant à cela?...
Tous les êtres circulent les uns dans les autres, par
conséquent toutes les espèces... tout est en un flux
perpétuel... Tout animal est plus ou moins homme;
tout minéral est plus ou moins plante; toute plante
est plus ou moins animal. Il n'y a rien de précis
en nature... Le ruban du père Castel... Oui, père
Castel, c'est votre ruban et ce n'est que cela. Toute
chose est plus ou moins une chose quelconque,
plus ou moins terre, plus ou moins eau, plus ou
moins air, plus ou moins feu; plus ou moins d'un
règne ou d'un autre... donc rien n'est de l'essence
d'un être particulier... Non, sans doute, puisqu'il
n'y a aucune qualité dont aucun être ne soit parti-
cipant... et que c'est le rapport plus ou moins

grand de cette qualité qui nous la fait attribuer à un être exclusivement à un autre... Et vous parlez d'individus, pauvres philosophes! laissez là vos individus; répondez-moi. Y a-t-il un atome en nature rigoureusement semblable à un autre atome ?... Non... Ne convenez-vous pas que tout tient en nature et qu'il est impossible qu'il y ait un vide dans la chaîne? Que voulez-vous donc dire avec vos individus? Il n'y en a point, non, il n'y en a point... Il n'y a qu'un seul grand individu, c'est le tout. Dans ce tout, comme dans une machine, dans un animal quelconque, il y a une partie que vous appellerez telle ou telle; mais quand vous donnerez le nom d'individu à cette partie du tout, c'est par un concept aussi faux que si, dans un oiseau, vous donniez le nom d'individu à l'aile, à une plume de l'aile... Et vous parlez d'essences, pauvres philosophes! laissez là vos essences. Voyez la masse générale, ou si, pour l'embrasser, vous avez l'imagination trop étroite, voyez votre première origine et votre fin dernière... O Archytas! vous qui avez mesuré le globe, qu'êtes-vous? un peu de cendre... Qu'est-ce qu'un être?... La somme d'un certain nombre de tendances... Est-ce que je puis être autre chose qu'une tendance?... non, je vais à un terme... Et les espèces?.... Les espèces ne sont que des tendances à un terme commun qui leur est propre... Et la vie?... La vie, une suite d'actions et de réactions... Vivant, j'agis et je réagis en masse... mort, j'agis et je réagis en molécules... Je ne meurs donc point?... Non, sans doute, je ne meurs point en ce sens, ni moi, ni quoi que ce soit... Naître, vivre et passer, c'est changer de formes... Et qu'importe une forme ou une autre? Chaque forme a le bonheur et le malheur qui lui est propre. Depuis l'éléphant jusqu'au puceron... depuis le puceron jusqu'à la molécule sensible et vivante, l'origine de tout, pas un point dans la nature entière qui ne souffre ou qui ne jouisse.

MADEMOISELLE DE L'ESPINASSE

Il ne dit plus rien.

BORDEU

Non; il a fait une assez belle excursion. Voilà de la philosophie bien haute; systématique dans ce moment, je crois que plus les connaissances de l'homme feront de progrès, plus elle se vérifiera.

MADEMOISELLE DE L'ESPINASSE

Et nous, où en étions-nous?

BORDEU

Ma foi, je ne m'en souviens plus; il m'a rappelé tant de phénomènes, tandis que je l'écoutais!

MADEMOISELLE DE L'ESPINASSE

Attendez, attendez..., j'en étais à mon araignée.

BORDEU

Oui, oui.

MADEMOISELLE DE L'ESPINASSE

Docteur, approchez-vous. Imaginez une araignée au centre de sa toile. Ébranlez un fil, et vous verrez l'animal alerte accourir. Eh bien! si les fils que l'insecte tire de ses intestins, et y rappelle quand il lui plaît, faisaient partie sensible de lui-même?...

BORDEU

Je vous entends. Vous imaginez en vous, quelque part, dans un recoin de votre tête, celui, par exemple, qu'on appelle les méninges, un ou plusieurs points où se rapportent toutes les sensations excitées sur la longueur des fils.

MADEMOISELLE DE L'ESPINASSE

C'est cela.

BORDEU

Votre idée est on ne saurait plus juste; mais ne voyez-vous pas que c'est à peu près la même qu'une certaine grappe d'abeilles?

MADEMOISELLE DE L'ESPINASSE

Ah! cela est vrai; j'ai fait de la prose sans m'en douter.

BORDEU

Et de la très bonne prose, comme vous allez voir. Celui qui ne connaît l'homme que sous la

forme qu'il nous présente en naissant, n'en a pas
la moindre idée. Sa tête, ses pieds, ses mains, tous
ses membres, tous ses viscères, tous ses organes,
son nez, ses yeux, ses oreilles, son cœur, ses poumons,
ses intestins, ses muscles, ses os, ses nerfs, ses
membranes, ne sont, à proprement parler, que les
développements grossiers d'un réseau qui se forme,
s'accroît, s'étend, jette une multitude de fils imperceptibles.

MADEMOISELLE DE L'ESPINASSE

Voilà ma toile; et le point originaire de tous ces
fils c'est mon araignée.

BORDEU

A merveille.

MADEMOISELLE DE L'ESPINASSE

Où sont les fils? où est placée l'araignée?

BORDEU

Les fils sont partout; il n'y a pas un point à la
surface de votre corps auquel ils n'aboutissent; et
l'araignée est nichée dans une partie de votre tête
que je vous ai nommée, les méninges, à laquelle
on ne saurait presque toucher sans frapper de
torpeur toute la machine.

MADEMOISELLE DE L'ESPINASSE

Mais si un atome fait osciller un des fils de la
toile de l'araignée, alors elle prend l'alarme, elle

s'inquiète, elle fuit ou elle accourt. Au centre elle
est instruite de ce qui se passe en quelque endroit
que ce soit de l'appartement immense qu'elle a
tapissé. Pourquoi est-ce que je ne sais pas ce qui se
passe dans le mien, ou le monde, puisque je suis
un peloton de points sensibles, que tout presse sur
moi et que je presse sur tout?

BORDEU

C'est que les impressions s'affaiblissent en raison
de la distance d'où elles partent.

MADEMOISELLE DE L'ESPINASSE

Si l'on frappe du coup le plus léger à l'extrémité
d'une longue poutre, j'entends ce coup, si j'ai mon
oreille appliquée à l'autre extrémité. Cette poutre
toucherait d'un bout sur la terre et de l'autre bout
dans Sirius, que le même effet serait produit.
Pourquoi tout étant lié, contigu, c'est-à-dire la
poutre existante et réelle, n'entends-je pas ce qui se
passe dans l'espace immense qui m'environne,
surtout si j'y prête l'oreille?

BORDEU

Et qui est-ce qui vous a dit que vous ne l'en-
tendiez pas plus ou moins? Mais il y a si loin,
l'impression est si faible, si croisée sur la route;
vous êtes entourée et assourdie de bruits si violents

et si divers ; c'est qu'entre Saturne et vous il n'y a que des corps contigus, au lieu qu'il y faudrait de la continuité.

MADEMOISELLE DE L'ESPINASSE

C'est bien dommage.

BORDEU

Il est vrai, car vous seriez Dieu. Par votre identité avec tous les êtres de la nature, vous sauriez tout ce qui se fait; par votre mémoire, vous sauriez tout ce qui s'y est fait.

MADEMOISELLE DE L'ESPINASSE

Et ce qui s'y fera?

BORDEU

Vous formeriez sur l'avenir des conjectures vraisemblables, mais sujettes à erreur. C'est précisément comme si vous cherchiez à deviner ce qui va se passer au-dedans de vous, à l'extrémité de votre pied ou de votre main.

MADEMOISELLE DE L'ESPINASSE

Et qui est-ce qui vous a dit que ce monde n'avait pas aussi ses méninges, ou qu'il ne réside pas dans quelque recoin de l'espace une grosse ou petite araignée dont les fils s'étendent à tout?

BORDEU

Personne, moins encore si elle n'a pas été ou si elle ne sera pas.

MADEMOISELLE DE L'ESPINASSE

Comment cette espèce de Dieu-là...

BORDEU

La seule qui se conçoive...

MADEMOISELLE DE L'ESPINASSE

Pourrait avoir été, ou venir et passer?

BORDEU

Sans doute; mais puisqu'il serait matière dans l'univers, portion de l'univers, sujet à vicissitudes, il vieillirait, il mourrait.

MADEMOISELLE DE L'ESPINASSE

Mais voici bien une autre extravagance qui me vient.

BORDEU

Je vous dispense de la dire, je la sais.

MADEMOISELLE DE L'ESPINASSE

Voyons, quelle est-elle?

BORDEU

Vous voyez l'intelligence unie à des portions de matière très énergiques, et la possibilité de toutes sortes de prodiges imaginables. D'autres l'ont pensé comme vous.

MADEMOISELLE DE L'ESPINASSE

Vous m'avez devinée, et je ne vous en estime pas davantage. Il faut que vous ayez un merveilleux penchant à la folie.

BORDEU

D'accord. Mais que cette idée a-t-elle d'effrayant ? Ce serait une épidémie de bons et de mauvais génies; les lois les plus constantes de la nature seraient interrompues par des agents naturels; notre physique générale en deviendrait plus difficile, mais il n'y aurait point de miracles.

MADEMOISELLE DE L'ESPINASSE

En vérité, il faut être bien circonspect sur ce qu'on assure et sur ce qu'on nie.

BORDEU

Allez, celui qui vous raconterait un phénomène de ce genre aurait l'air d'un grand menteur. Mais laissons là tous ces êtres imaginaires, sans en excepter votre araignée à réseaux infinis : revenons au vôtre et à sa formation.

MADEMOISELLE DE L'ESPINASSE

J'y consens.

D'ALEMBERT

Mademoiselle, vous êtes avec quelqu'un : qui est-ce qui cause là avec vous?

MADEMOISELLE DE L'ESPINASSE

C'est le docteur.

D'ALEMBERT

Bonjour, docteur : que faites-vous ici si matin?

BORDEU

Vous le saurez : dormez.

D'ALEMBERT

Ma foi, j'en ai besoin. Je ne crois pas avoir passé une autre nuit aussi agitée que celle-ci. Vous ne vous en irez pas que je ne sois levé.

BORDEU

Non. Je gage, mademoiselle, que vous avez cru qu'ayant été à l'âge de douze ans une femme la moitié plus petite, à l'âge de quatre ans encore une femme la moitié plus petite, fœtus une petite femme, dans les testicules de votre mère une femme très petite, vous avez pensé que vous aviez

faintly satyrical

Preformation

toujours été une femme sous la forme que vous
avez, en sorte que les seuls accroissements successifs
que vous avez pris ont fait toute la différence de
vous à votre origine, et de vous telle que vous voilà.

MADEMOISELLE DE L'ESPINASSE

J'en conviens.

BORDEU

Rien cependant n'est plus faux que cette idée.
D'abord vous n'étiez rien. Vous fûtes, en commençant, un point imperceptible, formé de molécules plus petites, éparses dans le sang, la lymphe
de votre père ou de votre mère ; ce point devint
un fil délié, puis un faisceau de fils. Jusque-là, pas
le moindre vestige de cette forme agréable que vous
avez : vos yeux, ces beaux yeux, ne ressemblaient
non plus à des yeux que l'extrémité d'une griffe
d'anémone ne ressemble à une anémone. Chacun
des brins du faisceau de fils se transforma, par la
seule nutrition et par sa conformation, en un
organe particulier : abstraction faite des organes
dans lesquels les brins du faisceau se métamor-
phosent, et auxquels ils donnent naissance. Le
faisceau est un système purement sensible ; s'il
persistait sous cette forme, il serait susceptible de
toutes les impressions relatives à la sensibilité
pure, comme le froid, le chaud, le doux, le rude.
Ces impressions successives, variées entre elles,
et variées chacune dans leur intensité, y produi-
raient peut-être la mémoire, la conscience du soi,

There are norms we are all different in varying degrees

une raison très bornée. Mais cette sensibilité pure
et simple, ce toucher, se diversifie par les organes
émanés de chacun des brins; un brin formant une
oreille, donne naissance à une espèce de toucher
que nous appelons bruit ou son ; un autre formant
le palais, donne naissance à une seconde espèce de
toucher que nous appelons saveur; un troisième
formant le nez et le tapissant, donne naissance à
une troisième espèce de toucher que nous appelons
odeur; un quatrième formant un œil, donne naissance à une quatrième espèce de toucher que nous
appelons couleur.

MADEMOISELLE DE L'ESPINASSE

Mais, si je vous ai bien compris, ceux qui nient
la possibilité d'un sixième sens, un véritable herma-
phrodite, sont des étourdis. Qui est-ce qui leur a dit
que nature ne pourrait former un faisceau avec
un brin singulier qui donnerait naissance à un
organe qui nous est inconnu?

BORDEU

Ou avec les deux brins qui caractérisent les deux
sexes? Vous avez raison ; il y a plaisir à causer
avec vous : vous ne saisissez pas seulement ce qu'on
vous dit, vous en tirez encore des conséquences
d'une justesse qui m'étonne.

MADEMOISELLE DE L'ESPINASSE

Docteur, vous m'encouragez.

BORDEU

Non, ma foi, je vous dis ce que je pense.

MADEMOISELLE DE L'ESPINASSE

Je vois bien l'emploi de quelques-uns des brins du faisceau; mais les autres, que deviennent-ils?

BORDEU

Et vous croyez qu'une autre que vous aurait songé à cette question?

MADEMOISELLE DE L'ESPINASSE

Certainement.

BORDEU

Vous n'êtes pas vaine. Le reste des brins va former autant d'autres espèces de toucher, qu'il y a de diversité entre les organes et les parties du corps.

MADEMOISELLE DE L'ESPINASSE

Et comment les appelle-t-on? Je n'en ai jamais entendu parler.

BORDEU

Ils n'ont pas de nom.

MADEMOISELLE DE L'ESPINASSE

Et pourquoi?

BORDEU

C'est qu'il n'y a pas autant de différence entre les sensations excitées par leur moyen qu'il y en a entre les sensations excitées par le moyen des autres organes.

MADEMOISELLE DE L'ESPINASSE

Très sérieusement vous pensez que le pied, la main, les cuisses, le ventre, l'estomac, la poitrine, le poumon, le cœur ont leurs sensations particulières?

BORDEU

Je le pense. Si j'osais, je vous demanderais si parmi ces sensations qu'on ne nomme pas...

MADEMOISELLE DE L'ESPINASSE

Je vous entends. Non. Celle-là est toute seule de son espèce et c'est dommage. Mais quelle raison avez-vous de cette multiplicité de sensations plus douloureuses qu'agréables dont il vous plaît de nous gratifier?

BORDEU

La raison? c'est que nous les discernons en grande partie. Si cette infinie diversité de touchers n'existait pas, on saurait qu'on éprouve du plaisir ou de la douleur, mais on ne saurait où les rapporter. Il faudrait le secours de la vue. Ce ne serait plus une affaire de sensation, ce serait une affaire d'expérience et d'observation.

MADEMOISELLE DE L'ESPINASSE

Quand je dirais que j'ai mal au doigt, si l'on me demandait pourquoi j'assure que c'est au doigt que j'ai mal, il faudrait que je répondisse non pas que je le sens, mais que je sens du mal et que je vois que mon doigt est malade.

BORDEU

C'est cela. Venez que je vous embrasse.

MADEMOISELLE DE L'ESPINASSE

Très volontiers.

D'ALEMBERT

Docteur, vous embrassez mademoiselle; c'est fort bien fait à vous.

BORDEU

J'y ai beaucoup réfléchi, et il m'a semblé que la direction et le lieu de la secousse ne suffiraient pas pour déterminer le jugement si subit de l'origine du faisceau.

MADEMOISELLE DE L'ESPINASSE

Je n'en sais rien.

BORDEU

Votre doute me plaît. Il est si commun de prendre des qualités naturelles pour des habitudes acquises et presque aussi vieilles que nous.

MADEMOISELLE DE L'ESPINASSE

Et réciproquement.

BORDEU

Quoi qu'il en soit, vous voyez que dans une question où il s'agit de la formation première de l'animal, c'est s'y prendre trop tard que d'attacher son regard et ses réflexions sur l'animal formé; qu'il faut remonter à ses premiers rudiments, et qu'il est à propos de vous dépouiller de votre organisation actuelle, et de revenir à un instant où vous n'étiez qu'une substance molle, filamenteuse, informe, vermiculaire, plus analogue au bulbe et à la racine d'une plante qu'à un animal.

MADEMOISELLE DE L'ESPINASSE

Si c'était l'usage d'aller toute nue dans les rues, je ne serais ni la première ni la dernière à m'y conformer. Ainsi faites de moi tout ce qu'il vous plaira, pourvu que je m'instruise. Vous m'avez dit que chaque brin du faisceau formait un organe particulier; et quelle preuve que cela est ainsi?

BORDEU

Faites par la pensée ce que nature fait quelquefois; mutilez le faisceau d'un de ses brins; par exemple, du brin qui formera les yeux; que croyez-vous qu'il en arrive?

MADEMOISELLE DE L'ESPINASSE

Que l'animal n'aura point d'yeux peut-être.

BORDEU

Ou n'en aura qu'un placé au milieu du front.

MADEMOISELLE DE L'ESPINASSE

Ce sera un Cyclope.

BORDEU

Un Cyclope.

MADEMOISELLE DE L'ESPINASSE

Le Cyclope pourrait donc bien ne pas être un être fabuleux.

BORDEU

Si peu, que je vous en ferai voir un quand vous voudrez.

MADEMOISELLE DE L'ESPINASSE

Et qui sait la cause de cette diversité?

BORDEU

Celui qui a disséqué ce monstre et qui ne lui a

trouvé qu'un filet optique. Faites par la pensée ce que nature fait quelquefois. Supprimez un autre brin du faisceau, le brin qui doit former le nez, l'animal sera sans nez. Supprimez le brin qui doit former l'oreille, l'animal sera sans oreilles, ou n'en aura qu'une, et l'anatomiste ne trouvera dans la dissection ni les filets olfactifs, ni les filets auditifs, ou ne trouvera qu'un de ceux-ci. Continuez la suppression des brins, et l'animal sera sans tête, sans pieds, sans mains; sa durée sera courte, mais il aura vécu.

MADEMOISELLE DE L'ESPINASSE

Et il y a des exemples de cela?

BORDEU

Assurément. Ce n'est pas tout. Doublez quelques-uns des brins du faisceau, et l'animal aura deux têtes, quatre yeux, quatre oreilles, trois testicules, trois pieds, quatre bras, six doigts à chaque main. Dérangez les brins du faisceau, et les organes seront déplacés : la tête occupera le milieu de la poitrine, les poumons seront à gauche, le cœur à droite. Collez ensemble deux brins, et les organes se confondront; les bras s'attacheront au corps; les cuisses, les jambes et les pieds se réuniront, et vous aurez toutes les sortes de monstres imaginables.

MADEMOISELLE DE L'ESPINASSE

Mais il me semble qu'une machine aussi composée qu'un animal, une machine qui naît d'un point, d'un fluide agité, peut-être de deux fluides brouillés au hasard, car on ne sait guère alors ce qu'on fait ; une machine qui s'avance à sa perfection par une infinité de développements successifs ; une machine dont la formation régulière ou irrégulière dépend d'un paquet de fils minces, déliés et flexibles, d'une espèce d'écheveau où le moindre brin ne peut être cassé, rompu, déplacé, manquant, sans conséquence fâcheuse pour le tout, devrait se nouer, s'embarrasser encore plus souvent dans le lieu de sa formation que mes soies sur ma tournette.

BORDEU

Aussi en souffre-t-elle beaucoup plus qu'on ne pense. On ne dissèque pas assez, et les idées sur sa formation sont-elles bien éloignées de la vérité.

MADEMOISELLE DE L'ESPINASSE

A-t-on des exemples remarquables de ces difformités originelles, autres que les bossus et les boiteux, dont on pourrait attribuer l'état maléficié à quelque vice héréditaire ?

BORDEU

Il y en a sans nombre, et tout nouvellement il vient de mourir à la Charité de Paris, à l'âge de vingt-cinq ans, des suites d'une fluxion de poitrine, un charpentier né à Troyes, appelé Jean-Baptiste

Macé, qui avait les viscères intérieurs de la poitrine et de l'abdomen dans une situation renversée,
le cœur à droite précisément comme vous l'avez
à gauche; le foie à gauche; l'estomac, la rate, le
pancréas à l'hypocondre droit; la veine-porte au
foie du côté gauche ce qu'elle est au foie du côté
droit; même transposition au long canal des
intestins; les reins, adossés l'un à l'autre sur les
vertèbres des lombes, imitaient la figure d'un fer
à cheval. Et qu'on vienne après cela nous parler
de causes finales!

MADEMOISELLE DE L'ESPINASSE

Cela est singulier.

BORDEU

Si Jean-Baptiste Macé a été marié et qu'il ait
eu des enfants...

MADEMOISELLE DE L'ESPINASSE

Eh bien, docteur, ces enfants...

BORDEU

Suivront la conformation générale; mais quelqu'un des enfants de leurs enfants, au bout d'une
centaine d'années, car ces irrégularités ont des
sauts, reviendra à la conformation bizarre de son
aïeul.

MADEMOISELLE DE L'ESPINASSE

Et d'où viennent ces sauts?

BORDEU

Qui le sait? Pour faire un enfant on est deux, comme vous savez. Peut-être qu'un des agents répare le vice de l'autre, et que le réseau défectueux ne renaît que dans le moment où le descendant de la race monstrueuse prédomine et donne la loi à la formation du réseau. Le faisceau de fils constitue la différence originelle et première de toutes les espèces d'animaux. Les variétés du faisceau d'une espèce font toutes les variétés monstrueuses de cette espèce.

(Après un long silence, mademoiselle de l'Espinasse sortit de sa rêverie et tira le docteur de la sienne par la question suivante :)

Il me vient une idée bien folle.

BORDEU

Quelle?

MADEMOISELLE DE L'ESPINASSE

L'homme n'est peut-être que le monstre de la femme, ou la femme le monstre de l'homme.

BORDEU

Cette idée vous serait venue bien plus vite encore, si vous eussiez su que la femme a toutes les parties de l'homme, et que la seule différence qu'il y ait est celle d'une bourse pendante en dehors, ou d'une bourse retournée en dedans; qu'un fœtus femelle ressemble, à s'y tromper, à un fœtus mâle; que la partie qui occasionne l'erreur s'affaisse dans le fœtus femelle à mesure que la bourse intérieure s'étend; qu'elle ne s'oblitère jamais au point de perdre sa première forme; qu'elle garde cette forme en petit; qu'elle est susceptible des mêmes mouvements; qu'elle est aussi le mobile de la volupté; qu'elle a son gland, son prépuce, et qu'on remarque à son extrémité un point qui paraîtrait avoir été l'orifice d'un canal urinaire qui s'est fermé; qu'il y a dans l'homme, depuis l'anus jusqu'au scrotum, intervalle qu'on appelle le périnée, et du scrotum jusqu'à l'extrémité de la verge, une couture qui semble être la reprise d'une vulve faufilée; que les femmes qui ont le clitoris excessif ont de la barbe; que les eunuques n'en ont point, que leurs cuisses se fortifient, que leurs hanches s'évasent, que leurs genoux s'arrondissent, et qu'en perdant l'organisation caractéristique d'un sexe, ils semblent s'en retourner à la conformation caractéristique de l'autre. Ceux d'entre les Arabes que l'équitation habituelle a châtrés perdent la barbe, prennent une voix grêle, s'habillent en femmes, se rangent parmi elles sur les chariots, s'accroupissent pour pisser, et en affectent les mœurs et les usages... Mais nous voilà bien loin de notre objet. Revenons à notre faisceau de filaments animés et vivants.

D'ALEMBERT

Je crois que vous dites des ordures à mademoiselle de l'Espinasse.

BORDEU

Quand on parle science, il faut se servir des mots techniques.

D'ALEMBERT

Vous avez raison; alors ils perdent le cortège d'idées accessoires qui les rendraient malhonnêtes. Continuez, docteur. Vous disiez donc à mademoiselle que la matrice n'est autre chose qu'un scrotum retourné de dehors en dedans, mouvement dans lequel les testicules ont été jetés hors de la bourse qui les renfermait, et dispersés de droite et de gauche dans la cavité du corps; que le clitoris est un membre viril en petit; que ce membre viril de femme va toujours en diminuant, à mesure que la matrice ou le scrotum retourné s'étend, et que...

MADEMOISELLE DE L'ESPINASSE

Oui, oui, taisez-vous, et ne vous mêlez pas de nos affaires.

BORDEU

Vous voyez, mademoiselle, que dans la question de nos sensations en général, qui ne sont toutes qu'un toucher diversifié, il faut laisser là les formes successives que le réseau prend, et s'en tenir au réseau seul.

MADEMOISELLE DE L'ESPINASSE

Chaque fil du réseau sensible peut être blessé ou chatouillé sur toute sa longueur. Le plaisir ou la douleur est là ou là, dans un endroit ou dans un autre de quelqu'une des longues pattes de mon araignée, car j'en reviens toujours à mon araignée; que c'est l'araignée qui est à l'origine commune de toutes les pattes, et qui rapporte à tel ou tel endroit la douleur ou le plaisir sans l'éprouver.

BORDEU

Que c'est le rapport constant, invariable de toutes les impressions à cette origine commune qui constitue l'unité de l'animal.

MADEMOISELLE DE L'ESPINASSE

Que c'est la mémoire de toutes ces impressions successives qui fait pour chaque animal l'histoire de sa vie et de son soi.

BORDEU

Et que c'est la mémoire et la comparaison qui s'ensuivent nécessairement de toutes ces impressions qui font la pensée et le raisonnement.

MADEMOISELLE DE L'ESPINASSE

Et cette comparaison se fait où?

BORDEU

A l'origine du réseau.

MADEMOISELLE DE L'ESPINASSE

Et ce réseau?

BORDEU

N'a à son origine aucun sens qui lui soit propre :
ne voit point, n'entend point, ne souffre point.
Il est produit, nourri ; il émane d'une substance
molle, insensible, inerte, qui lui sert d'oreiller, et
sur laquelle il siège, écoute, juge et prononce.

MADEMOISELLE DE L'ESPINASSE

Il ne souffre point.

BORDEU

Non : l'impression la plus légère suspend son
audience, et l'animal tombe dans l'état de mort.
Faites cesser l'impression, il revient à ses fonctions,
et l'animal renaît.

MADEMOISELLE DE L'ESPINASSE

Et d'où savez-vous cela? Est-ce qu'on a jamais
fait renaître et mourir un homme à discrétion?

BORDEU

Oui.

MADEMOISELLE DE L'ESPINASSE

Et comment cela?

BORDEU

Je vais vous le dire; c'est un fait curieux. La Peyronie, que vous pouvez avoir connu, fut appelé auprès d'un malade qui avait reçu un coup violent à la tête. Ce malade y sentait de la pulsation. Le chirurgien ne doutait pas que l'abcès au cerveau ne fût formé, et qu'il n'y avait pas un moment à perdre. Il rase le malade et le trépane. La pointe de l'instrument tombe précisément au centre de l'abcès. Le pus était fait; il vide le pus; il nettoie l'abcès avec une seringue. Lorsqu'il pousse l'injection dans l'abcès, le malade ferme les yeux; ses membres restent sans action, sans mouvement, sans le moindre signe de vie; lorsqu'il repompe l'injection et qu'il soulage l'origine du faisceau du poids et de la pression du fluide injecté, le malade rouvre les yeux, se meut, parle, sent, renaît, et vit.

MADEMOISELLE DE L'ESPINASSE

Cela est singulier; et ce malade guérit-il?

BORDEU

Il guérit; et, quand il fut guéri, il réfléchit, il

pensa, il raisonna, il eut le même esprit, le même bon sens, la même pénétration, avec une bonne portion de moins de sa cervelle.

MADEMOISELLE DE L'ESPINASSE

Ce juge-là est un être bien extraordinaire.

BORDEU

Il se trompe quelquefois lui-même; il est sujet à des préventions d'habitude : on sent du mal à un membre qu'on n'a plus. On le trompe quand on veut : croisez deux de vos doigts l'un sur l'autre, touchez une petite boule, et il prononcera qu'il y en a deux.

MADEMOISELLE DE L'ESPINASSE

C'est qu'il est comme tous les juges du monde, et qu'il a besoin d'expérience, sans quoi il prendra la sensation de la glace pour celle du feu.

BORDEU

Il fait bien autre chose : il donne un volume presque infini à l'individu, ou il le concentre presque dans un point.

MADEMOISELLE DE L'ESPINASSE

Je ne vous entends pas.

BORDEU

Qu'est-ce qui circonscrit votre étendue réelle, la vraie sphère de votre sensibilité?

MADEMOISELLE DE L'ESPINASSE

Ma vue et mon toucher.

BORDEU

De jour; mais la nuit, dans les ténèbres, lorsque vous rêvez surtout à quelque chose d'abstrait, le jour même, lorsque votre esprit est occupé?

MADEMOISELLE DE L'ESPINASSE

Rien. J'existe comme en un point; je cesse presque d'être matière, je ne sens que ma pensée; il n'y a plus ni lieu, ni mouvement, ni corps, ni distance, ni espace pour moi : l'univers est anéanti pour moi, et je suis nulle pour lui.

BORDEU

Voilà le dernier terme de la concentration de votre existence; mais sa dilatation idéale peut être sans borne. Lorsque la vraie limite de votre sensibilité est franchie, soit en vous rapprochant, en vous condensant en vous-même, soit en vous étendant au-dehors, on ne sait plus ce que cela peut devenir.

MADEMOISELLE DE L'ESPINASSE

Docteur, vous avez raison. Il m'a semblé plusieurs fois en rêve...

BORDEU

Et aux malades dans une attaque de goutte...

MADEMOISELLE DE L'ESPINASSE

Que je devenais immense.

BORDEU

Que leur pied touchait au ciel de leur lit.

MADEMOISELLE DE L'ESPINASSE

Que mes bras et mes jambes s'allongeaient à l'infini, que le reste de mon corps prenait un volume proportionné; que l'Encelade de la fable n'était qu'un pygmée; que l'Amphitrite d'Ovide, dont les longs bras allaient former une ceinture immense à la terre, n'était qu'une naine en comparaison de moi, et que j'escaladais le ciel, ou que j'enlaçais les deux hémisphères.

BORDEU

Fort bien. Et moi j'ai connu une femme en qui le phénomène s'exécutait en sens contraire.

MADEMOISELLE DE L'ESPINASSE

Quoi! elle se rapetissait par degrés, et rentrait en elle-même?

BORDEU

Au point de se sentir aussi menue qu'une aiguille :
elle voyait, elle entendait, elle raisonnait, elle
jugeait et elle avait un effroi mortel de se perdre;
elle frémissait à l'approche des moindres objets;
elle n'osait bouger de sa place.

MADEMOISELLE DE L'ESPINASSE

Voilà un singulier rêve, bien fâcheux, bien
incommode.

BORDEU

Elle ne rêvait point; c'était un des accidents
de la cessation de l'écoulement périodique.

MADEMOISELLE DE L'ESPINASSE

Et demeurait-elle longtemps sous cette menue,
imperceptible forme de petite femme?

BORDEU

Une heure, deux heures, après lesquelles elle
revenait successivement à son volume naturel.

MADEMOISELLE DE L'ESPINASSE

Et la raison de ces sensations bizarres?

BORDEU

Dans leur état naturel et tranquille, les brins
du faisceau ont une certaine tension, un ton, une

énergie habituelle qui circonscrivent l'étendue réelle
ou imaginaire du corps. Je dis réelle ou imaginaire,
car cette tension, ce ton, cette énergie étant variables,
notre corps n'est pas toujours d'un même volume.

MADEMOISELLE DE L'ESPINASSE

Ainsi, c'est au physique comme au moral que
nous sommes sujets à nous croire plus grands que
nous ne le sommes?

BORDEU

Le froid nous rapetisse, la chaleur nous étend,
et tel individu peut se croire toute sa vie plus petit
ou plus grand qu'il ne l'est réellement. S'il arrive
à la masse du faisceau d'entrer en un éréthisme
violent, aux brins de se mettre en érection, à la
multitude infinie de leurs extrémités de s'élancer
au-delà de leur limite accoutumée, alors la tête,
les pieds, les autres membres, tous les points de la
surface du corps seront portés à une distance immense, et l'individu se sentira gigantesque. Ce sera
le phénomène contraire si l'insensibilité, l'apathie,
l'inertie gagne de l'extrémité des brins, et s'achemine peu à peu vers l'origine du faisceau.

MADEMOISELLE DE L'ESPINASSE

Je conçois que cette expansion ne saurait se
mesurer, et je conçois encore que cette insensibilité,

cette apathie, cette inertie de l'extrémité des brins, cet engourdissement, après avoir fait un certain progrès, peut se fixer, s'arrêter...

BORDEU

Comme il est arrivé à La Condamine : alors l'individu sent comme des ballons sous ses pieds.

MADEMOISELLE DE L'ESPINASSE

Il existe au-delà du terme de sa sensibilité, et s'il était enveloppé de cette apathie en tout sens, il nous offrirait un petit homme vivant sous un homme mort.

BORDEU

Concluez de là que l'animal qui dans son origine n'était qu'un point, ne sait encore s'il est réellement quelque chose de plus. Mais revenons.

MADEMOISELLE DE L'ESPINASSE

Où?

BORDEU

Où? au trépané de La Peyronie... Voilà bien, je crois, ce que vous me demandiez, l'exemple d'un homme qui vécut et mourut alternativement... Mais il y a mieux.

MADEMOISELLE DE L'ESPINASSE

Et qu'est-ce que ce peut être?

BORDEU

La fable de Castor et Pollux réalisée; deux enfants dont la vie de l'un était aussitôt suivie de la mort de l'autre, et la vie de celui-ci aussitôt suivie de la mort du premier.

MADEMOISELLE DE L'ESPINASSE

Oh! le bon conte. Et cela dura-t-il longtemps?

BORDEU

La durée de cette existence fut de deux jours qu'ils se partagèrent également et à différentes reprises, en sorte que chacun eut pour sa part un jour de vie et un jour de mort.

MADEMOISELLE DE L'ESPINASSE

Je crains, docteur, que vous n'abusiez un peu de ma crédulité. Prenez-y garde, si vous me trompez une fois, je ne vous croirai plus.

BORDEU

Lisez-vous quelquefois la *Gazette de France?*

MADEMOISELLE DE L'ESPINASSE

Jamais, quoique ce soit le chef-d'œuvre de deux hommes d'esprit.

BORDEU

Faites-vous prêter la feuille du 4 de ce mois de septembre, et vous verrez qu'à Rabastens, diocèse d'Albi, deux filles naquirent dos à dos, unies par leurs dernières vertèbres lombaires, leurs fesses et la région hypogastrique. L'on ne pouvait tenir l'une debout que l'autre n'eût la tête en bas. Couchées, elles se regardaient; leurs cuisses étaient fléchies entre leurs troncs, et leurs jambes élevées; sur le milieu de la ligne circulaire commune qui les attachait par leurs hypogastres on discernait leur sexe, et entre la cuisse droite de l'une qui correspondait à la cuisse gauche de sa sœur, dans une cavité il y avait un petit anus par lequel s'écoulait le méconium.

MADEMOISELLE DE L'ESPINASSE

Voilà une espèce assez bizarre.

BORDEU

Elles prirent du lait qu'on leur donna dans une cuiller. Elles vécurent douze heures comme je vous l'ai dit, l'une tombant en défaillance lorsque l'autre en sortait, l'une morte tandis que l'autre vivait. La première défaillance de l'une et la première vie de l'autre fut de quatre heures; les défaillances et les retours alternatifs à la vie qui succédèrent furent moins longs; elles expirèrent dans le même instant.

On remarqua que leurs nombrils avaient aussi un mouvement alternatif de sortie et de rentrée; il rentrait à celle qui défaillait, et sortait à celle qui revenait à la vie.

MADEMOISELLE DE L'ESPINASSE

Et que dites-vous de ces alternatives de vie et de mort?

BORDEU

Peut-être rien qui vaille; mais comme on voit tout à travers la lunette de son système, et que je ne veux pas faire exception à la règle, je dis que c'est le phénomène du trépané de La Peyronie doublé en deux êtres conjoints; que les réseaux de ces deux enfants s'étaient si bien mêlés qu'ils agissaient et réagissaient l'un sur l'autre; lorsque l'origine du faisceau de l'une prévalait, il entraînait le réseau de l'autre qui défaillait à l'instant; c'était le contraire, si c'était le réseau de celle-ci qui dominât le système commun. Dans le trépané de La Peyronie, la pression se faisait de haut en bas par le poids d'un fluide; dans les deux jumelles de Rabastens, elle se faisait de bas en haut par la traction d'un certain nombre des fils du réseau : conjecture appuyée par la rentrée et la sortie alternative des nombrils, sortie dans celle qui revenait à la vie, rentrée dans celle qui mourait.

MADEMOISELLE DE L'ESPINASSE

Et voilà deux âmes liées.

BORDEU

Un animal avec le principe de deux sens et de deux consciences.

MADEMOISELLE DE L'ESPINASSE

N'ayant cependant dans le même moment que la jouissance d'une seule; mais qui sait ce qui serait arrivé si cet animal eût vécu?

BORDEU

Quelle sorte de correspondance l'expérience de tous les moments de la vie, la plus forte des habitudes qu'on puisse imaginer, aurait établie entre ces deux cerveaux?

MADEMOISELLE DE L'ESPINASSE

Des sens doubles, une mémoire double, une imagination double, une double application, la moitié d'un être qui observe, lit, médite, tandis que son autre moitié repose : cette moitié-ci reprenant les mêmes fonctions, quand sa compagne est lasse; la vie doublée d'un être doublé.

BORDEU

Cela est possible; et la nature amenant avec le temps tout ce qui est possible, elle formera quelque étrange composé.

MADEMOISELLE DE L'ESPINASSE

Que nous serions pauvres en comparaison d'un pareil être!

BORDEU

Et pourquoi? Il y a déjà tant d'incertitudes, de contradictions, de folies dans un entendement simple, que je ne sais plus ce que cela deviendrait avec un entendement double... Mais il est dix heures et demie, et j'entends du faubourg jusqu'ici un malade qui m'appelle.

MADEMOISELLE DE L'ESPINASSE

Y aurait-il bien du danger pour lui à ce que vous ne le vissiez pas?

BORDEU

Moins peut-être qu'à le voir. Si la nature ne fait pas la besogne sans moi, nous aurons bien de la peine à la faire ensemble, et à coup sûr je ne la ferai pas sans elle.

MADEMOISELLE DE L'ESPINASSE

Restez donc.

D'ALEMBERT

Docteur, encore un mot, et je vous envoie à votre patient. A travers toutes les vicissitudes que je subis dans le cours de ma durée, n'ayant peut-

être pas à présent une des molécules que j'apportai
en naissant, comment suis-je resté moi pour les
autres et pour moi?

BORDEU

Vous nous l'avez dit en rêvant.

D'ALEMBERT

Est-ce que j'ai rêvé?

MADEMOISELLE DE L'ESPINASSE

Toute la nuit, et cela ressemblait tellement à du
délire, que j'ai envoyé chercher le docteur ce matin.

D'ALEMBERT

Et cela pour des pattes d'araignée qui s'agitaient
d'elles-mêmes, qui tenaient alerte l'araignée et qui
faisaient parler l'animal. Et l'animal, que disait-il?

BORDEU

Que c'était par la mémoire qu'il était lui pour
les autres et pour lui : et j'ajouterais par la lenteur
des vicissitudes. Si vous eussiez passé en un clin
d'œil de la jeunesse à la décrépitude, vous auriez
été jeté dans ce monde comme au premier moment
de votre naissance; vous n'auriez plus été vous ni
pour les autres ni pour vous, pour les autres qui
n'auraient point été eux pour vous. Tous les rapports auraient été anéantis, toute l'histoire de votre

vie pour moi, toute l'histoire de la mienne pour vous, brouillée. Comment auriez-vous pu savoir que cet homme, courbé sur un bâton, dont les yeux s'étaient éteints, qui se traînait avec peine, plus différent encore de lui-même au-dedans qu'à l'extérieur, était le même qui la veille marchait si légèrement, remuait des fardeaux assez lourds, pouvait se livrer aux méditations les plus profondes, aux exercices les plus doux et les plus violents? Vous n'eussiez pas entendu vos propres ouvrages, vous ne vous fussiez pas reconnu vous-même, vous n'eussiez reconnu personne, personne ne vous eût reconnu; toute la scène du monde aurait changé. Songez qu'il y eut moins de différence encore entre vous naissant et vous jeune, qu'il n'y en aurait eu entre vous jeune et vous devenu subitement décrépit. Songez que, quoique votre naissance ait été liée à votre jeunesse par une suite de sensations ininterrompues, les trois premières années de votre [existence] n'ont jamais été de l'histoire de votre vie. Qu'aurait donc été pour vous le temps de votre jeunesse que rien n'eût lié au moment de votre décrépitude? D'Alembert décrépit n'eût pas eu le moindre souvenir de d'Alembert jeune.

MADEMOISELLE DE L'ESPINASSE

Dans la grappe d'abeilles, il n'y en aurait pas une qui eût eu le temps de prendre l'esprit du corps.

D'ALEMBERT

Qu'est-ce que vous dites là?

MADEMOISELLE DE L'ESPINASSE

Je dis que l'esprit monastique se conserve parce que le monastère se refait peu à peu, et quand il entre un moine nouveau, il en trouve une centaine de vieux qui l'entraînent à penser et à sentir comme eux. Une abeille s'en va, il en succède dans la grappe une autre qui se met bientôt au courant.

D'ALEMBERT

Allez, vous extravaguez avec vos moines, vos abeilles, votre grappe et votre couvent.

BORDEU

Pas tant que vous croiriez bien. S'il n'y a qu'une conscience dans l'animal, il y a une infinité de volontés; chaque organe a la sienne.

D'ALEMBERT

Comment avez-vous dit?

BORDEU

J'ai dit que l'estomac veut des aliments, que le palais n'en veut point, et que la différence du palais et de l'estomac avec l'animal entier, c'est que l'animal sait qu'il veut, et que l'estomac et

le palais veulent sans le savoir; c'est que l'estomac
ou le palais sont l'un à l'autre à peu près comme
l'homme et la brute. Les abeilles perdent leurs
consciences et retiennent leurs appétits ou volontés.
La fibre est un animal simple, l'homme est un
animal composé; mais gardons ce texte pour une
autre fois. Il faut un événement bien moindre qu'une
décrépitude subite pour ôter à l'homme la conscience du soi. Un moribond reçoit les sacrements
avec une piété profonde; il s'accuse de ses fautes;
il demande pardon à sa femme; il embrasse ses
enfants; il appelle ses amis; il parle à son médecin;
il commande à ses domestiques; il dicte ses dernières volontés; il met ordre à ses affaires, et tout
cela avec le jugement le plus sain, la présence
d'esprit la plus entière; il guérit, il est convalescent,
et il n'a pas la moindre idée de ce qu'il a dit ou
fait dans sa maladie. Cet intervalle, quelquefois
très long, a disparu de sa vie. Il y a même des
exemples de personnes qui ont repris la conversation ou l'action que l'attaque subite du mal avait
interrompue.

D'ALEMBERT

Je me souviens que, dans un exercice public,
un pédant de collège, tout gonflé de son savoir, fut
mis ce qu'ils appellent au sac, par un capucin qu'il
avait méprisé. Lui, mis au sac! Et par qui? par un
capucin! Et sur quelle question? Sur le futur con-
tingent! sur la science moyenne qu'il a méditée
toute sa vie! Et en quelle circonstance? devant une

assemblée nombreuse! devant ses élèves! Le voilà
perdu d'honneur. Sa tête travaille si bien sur ces
idées qu'il en tombe dans une léthargie qui lui
enlève toutes les connaissances qu'il avait acquises.

MADEMOISELLE DE L'ESPINASSE

Mais c'était un bonheur.

D'ALEMBERT

Ma foi, vous avez raison. Le bon sens lui était
resté; mais il avait tout oublié. On lui rapprit à
parler et à lire, et il mourut lorsqu'il commençait
à épeler très passablement. Cet homme n'était point
un inepte; on lui accordait même quelque éloquence.

MADEMOISELLE DE L'ESPINASSE

Puisque le docteur a entendu votre conte, il faut
qu'il entende aussi le mien. Un jeune homme de
dix-huit à vingt ans, dont je ne me rappelle pas le
nom...

BORDEU

C'est un M. de Schellemberg de Winterthur; il
n'avait que quinze à seize ans.

MADEMOISELLE DE L'ESPINASSE

Ce jeune homme fit une chute dans laquelle il
reçut une commotion violente à la tête.

BORDEU

Qu'appelez-vous une commotion violente? Il tomba du haut d'une grange; il eut la tête fracassée, et resta six semaines sans connaissance.

MADEMOISELLE DE L'ESPINASSE

Quoi qu'il en soit, savez-vous quelle fut la suite de cet accident? la même qu'à votre pédant : il oublia tout ce qu'il savait; il fut restitué à son bas âge; il eut une seconde enfance, et qui dura. Il était craintif et pusillanime; il s'amusait à des joujoux. S'il avait mal fait et qu'on le grondât, il allait se cacher dans un coin; il demandait à faire son petit tour et son grand tour. On lui apprit à lire et à écrire; mais j'oubliais de vous dire qu'il fallut lui rapprendre à marcher. Il redevint homme et habile homme, et il a laissé un ouvrage d'histoire naturelle.

BORDEU

Ce sont des gravures, les planches de M. Sulzer sur les insectes, d'après le système de Linnæus. Je connaissais ce fait; il est arrivé dans le canton de Zurich, en Suisse, et il y a nombre d'exemples pareils. Dérangez l'origine du faisceau, vous changez l'animal; il semble qu'il soit là tout entier, tantôt dominant les ramifications, tantôt dominé par elles.

MADEMOISELLE DE L'ESPINASSE

Et l'animal est sous le despotisme ou sous l'anarchie.

BORDEU

Sous le despotisme, fort bien dit. L'origine du faisceau commande, et tout le reste obéit. L'animal est maître de soi, *mentis compos.*

MADEMOISELLE DE L'ESPINASSE

Sous l'anarchie, où tous les filets du réseau sont soulevés contre leur chef, et où il n'y a plus d'autorité suprême.

BORDEU

A merveille. Dans les grands accès de passion, dans le délire, dans les périls imminents, si le maître porte toutes les forces de ses sujets vers un point, l'animal le plus faible montre une force incroyable.

MADEMOISELLE DE L'ESPINASSE

Dans les vapeurs, sorte d'anarchie qui nous est si particulière.

BORDEU

C'est l'image d'une administration faible, où chacun tire à soi l'autorité du maître. Je ne connais qu'un moyen de guérir; il est difficile, mais sûr; c'est que l'origine du réseau sensible, cette partie qui constitue le soi, puisse être affectée d'un motif violent de recouvrer son autorité.

MADEMOISELLE DE L'ESPINASSE

Et qu'en arrive-t-il?

BORDEU

Il en arrive qu'il la recouvre en effet, ou que l'animal périt. Si j'en avais le temps, je vous dirais là-dessus deux faits singuliers.

MADEMOISELLE DE L'ESPINASSE

Mais, docteur, l'heure de votre visite est passée, et votre malade ne vous attend plus.

BORDEU

Il ne faut venir ici que quand on n'a rien à faire, car on ne saurait s'en tirer.

MADEMOISELLE DE L'ESPINASSE

Voilà une bouffée d'humeur tout à fait honnête; mais vos histoires?

BORDEU

Pour aujourd'hui vous vous contenterez de celle-ci : Une femme tomba à la suite d'une couche, dans l'état vaporeux le plus effrayant; c'étaient des pleurs et des ris involontaires, des étouffements, des convulsions, des gonflements de gorge, du silence morne, des cris aigus, tout ce qu'il y a de pis : cela dura plusieurs années. Elle aimait passionnément, et elle crut s'apercevoir que son amant, fatigué de sa maladie, commençait à se

détacher; alors elle résolut de guérir ou de périr.
Il s'établit en elle une guerre civile dans laquelle
tantôt c'était le maître qui l'emportait, tantôt
c'étaient les sujets. S'il arrivait que l'action des
filets du réseau fût égale à la réaction de leur origine,
elle tombait comme morte; on la portait sur son
lit où elle restait des heures entières sans mouvement et presque sans vie; d'autres fois elle en était
quitte pour des lassitudes, une défaillance générale,
une extinction qui semblait devoir être finale. Elle
persista six mois dans cet état de lutte. La révolte
commençait toujours par les filets; elle la sentait
arriver. Au premier symptôme elle se levait, elle
courait, elle se livrait aux exercices les plus violents;
elle montait, elle descendait ses escaliers; elle sciait
du bois, elle bêchait la terre. L'organe de sa volonté,
l'origine du faisceau se roidissait; elle se disait à
elle-même : vaincre ou mourir. Après un nombre
infini de victoires et de défaites, le chef resta le
maître, et les sujets devinrent si soumis que, quoique
cette femme ait éprouvé toutes sortes de peines
domestiques, et qu'elle ait essuyé différentes mala-
dies, il n'a plus été question de vapeurs.

MADEMOISELLE DE L'ESPINASSE

Cela est brave, mais je crois que j'en aurais bien
fait autant.

BORDEU

C'est que vous aimeriez bien si vous aimiez, et
que vous êtes ferme.

MADEMOISELLE DE L'ESPINASSE

J'entends. On est ferme, si, d'éducation, d'habitude ou d'organisation, l'origine du faisceau domine les filets; faible, au contraire, s'il en est dominé.

BORDEU

Il y a bien d'autres conséquences à tirer de là.

MADEMOISELLE DE L'ESPINASSE

Mais votre autre histoire, et vous les tirerez après.

BORDEU

Une jeune femme avait donné dans quelques écarts. Elle prit un jour le parti de fermer sa porte au plaisir. La voilà seule, la voilà mélancolique et vaporeuse. Elle me fit appeler. Je lui conseillai de prendre l'habit de paysanne, de bêcher la terre toute la journée, de coucher sur la paille et de vivre de pain dur. Ce régime ne lui plut pas. Voyagez donc, lui dis-je. Elle fit le tour de l'Europe, et retrouva la santé sur les grands chemins.

MADEMOISELLE DE L'ESPINASSE

Ce n'est pas là ce que vous aviez à dire; n'importe, venons à vos conséquences.

BORDEU

Cela ne finirait point.

MADEMOISELLE DE L'ESPINASSE

Tant mieux. Dites toujours.

BORDEU

Je n'en ai pas le courage.

MADEMOISELLE DE L'ESPINASSE

Et pourquoi?

BORDEU

C'est que du train dont nous y allons on effleure tout, et l'on n'approfondit rien.

MADEMOISELLE DE L'ESPINASSE

Qu'importe? nous ne composons pas, nous causons.

BORDEU

Par exemple, si l'origine du faisceau rappelle toutes les forces à lui, si le système entier se meut pour ainsi dire à rebours, comme je crois qu'il arrive dans l'homme qui médite profondément, dans le fanatique qui voit les cieux ouverts, dans le sauvage qui chante au milieu des flammes, dans l'extase, dans l'aliénation volontaire ou involontaire...

MADEMOISELLE DE L'ESPINASSE

Eh bien?

BORDEU

Eh bien, l'animal se rend impassible, il n'existe qu'en un point. Je n'ai pas vu ce prêtre de Calame, dont parle saint Augustin, qui s'aliénait au point de ne plus sentir des charbons ardents; je n'ai pas vu dans le cadre ces sauvages qui sourient à leurs ennemis, qui les insultent et qui leur suggèrent des tourments plus exquis que ceux qu'on leur fait souffrir; je n'ai pas vu dans le cirque ces gladiateurs qui se rappelaient en expirant la grâce et les leçons de la gymnastique; mais je crois tous ces faits, parce que j'ai vu, mais vu de mes propres yeux, un effort aussi extraordinaire qu'aucun de ceux-là.

MADEMOISELLE DE L'ESPINASSE

Docteur, racontez-le-moi. Je suis comme les enfants, j'aime les faits merveilleux, et quand ils font honneur à l'espèce humaine, il m'arrive rarement d'en disputer la vérité.

BORDEU

Il y avait dans une petite ville de Champagne, Langres, un bon curé, appelé le ou de Moni, bien pénétré, bien imbu de la vérité de la religion. Il fut attaqué de la pierre, il fallut le tailler. Le jour est pris, le chirurgien, ses aides et moi nous nous rendons chez lui; il nous reçoit d'un air serein, il se déshabille, il se couche, on veut le lier; il s'y refuse; « placez-moi seulement, dit-il, comme il convient »; on le place. Alors il demande un grand crucifix qui était au pied de son lit; on le lui donne, il le serre entre ses bras, il y colle sa bouche. On opère, il reste immobile, il ne lui échappe ni larmes ni soupirs, et il était délivré de la pierre, qu'il l'ignorait.

MADEMOISELLE DE L'ESPINASSE

Cela est beau; et puis doutez après cela que celui à qui l'on brisait les os de la poitrine avec des cailloux ne vît les cieux ouverts.

BORDEU

Savez-vous ce que c'est que le mal d'oreilles?

MADEMOISELLE DE L'ESPINASSE

Non.

BORDEU

Tant mieux pour vous. C'est le plus cruel de tous les maux.

MADEMOISELLE DE L'ESPINASSE

Plus que le mal de dents que je connais malheureusement?

BORDEU

Sans comparaison. Un philosophe de vos amis en était tourmenté depuis quinze jours, lorsqu'un

matin il dit à sa femme : Je ne me sens pas assez
de courage pour toute la journée... Il pensa que
son unique ressource était de tromper artificiel-
lement la douleur. Peu à peu il s'enfonça si bien
dans une question de métaphysique ou de géométrie, qu'il oublia son oreille. On lui servit à manger,
il mangea sans s'en apercevoir; il gagna l'heure
de son coucher sans avoir souffert. L'horrible
douleur ne le reprit que lorsque la contention de
l'esprit cessa, mais ce fut avec une fureur inouïe,
soit qu'en effet la fatigue eût irrité le mal, soit que
la faiblesse le rendît plus insupportable.

MADEMOISELLE DE L'ESPINASSE

Au sortir de cet état, on doit en effet être épuisé
de lassitude; c'est ce qui arrive quelquefois à cet
homme qui est là.

BORDEU

Cela est dangereux, qu'il y prenne garde.

MADEMOISELLE DE L'ESPINASSE

Je ne cesse de le lui dire, mais il n'en tient compte.

BORDEU

Il n'en est plus le maître, c'est sa vie; il faut qu'il
en périsse.

MADEMOISELLE DE L'ESPINASSE

Cette sentence me fait peur.

BORDEU

Que prouvent cet épuisement, cette lassitude?
Que les brins du faisceau ne sont pas restés oisifs,
et qu'il y avait dans tout le système une tension
violente vers un centre commun.

MADEMOISELLE DE L'ESPINASSE

Si cette tension ou tendance violente dure, si
elle devient habituelle?

BORDEU

C'est un tic de l'origine du faisceau; l'animal
est fou, et fou presque sans ressource.

MADEMOISELLE DE L'ESPINASSE

Et pourquoi?

BORDEU

C'est qu'il n'en est pas du tic de l'origine comme
du tic d'un des brins. La tête peut bien commander
aux pieds, mais non pas le pied à la tête; l'origine
à un des brins, mais non pas le brin à l'origine.

MADEMOISELLE DE L'ESPINASSE

Et la différence, s'il vous plaît? En effet, pourquoi
ne pensé-je pas partout? C'est une question qui
aurait dû me venir plus tôt.

BORDEU

C'est que la conscience n'est qu'en un endroit.

MADEMOISELLE DE L'ESPINASSE

Voilà qui est bientôt dit.

BORDEU

C'est qu'elle ne peut être que dans un endroit, au centre commun de toutes les sensations, là où est la mémoire, là où se font les comparaisons. Chaque brin n'est susceptible que d'un certain nombre déterminé d'impressions, de sensations successives, isolées, sans mémoire. L'origine est susceptible de toutes, elle en est le registre, elle en garde la mémoire ou une sensation continue, et l'animal est entraîné dès sa formation première à s'y rapporter soi, à s'y fixer tout entier, à y exister.

MADEMOISELLE DE L'ESPINASSE

Et si mon doigt pouvait avoir de la mémoire?...

BORDEU

Votre doigt penserait.

MADEMOISELLE DE L'ESPINASSE

Et qu'est-ce donc que la mémoire?

BORDEU

La propriété du centre, le sens spécifique de l'origine du réseau, comme la vue est la propriété

de l'œil; et il n'est pas plus étonnant que la mémoire ne soit pas dans l'œil, qu'il ne l'est que la
vue ne soit pas dans l'oreille.

MADEMOISELLE DE L'ESPINASSE

Docteur, vous éludez plutôt mes questions que
vous n'y satisfaites.

BORDEU

Je n'élude rien, je vous dis ce que je sais, et j'en
saurais davantage, si l'organisation de l'origine
du réseau m'était aussi connue que celle de ses
brins, si j'avais eu la même facilité de l'observer.
Mais si je suis faible sur les phénomènes particuliers,
en revanche, je triomphe sur les phénomènes
généraux.

MADEMOISELLE DE L'ESPINASSE

Et ces phénomènes généraux sont?

BORDEU

La raison, le jugement, l'imagination, la folie,
l'imbécillité, la férocité, l'instinct.

MADEMOISELLE DE L'ESPINASSE

J'entends. Toutes ces qualités ne sont que des
conséquences du rapport originel ou contracté

par l'habitude de l'origine du faisceau à ses ramifications.

BORDEU

A merveille. Le principe ou le tronc est-il trop
vigoureux relativement aux branches? De là les
poètes, les artistes, les gens à imagination, les
hommes pusillanimes, les enthousiastes, les fous.
Trop faible? De là, ce que nous appelons les
brutes, les bêtes féroces. Le système entier lâche,
mou, sans énergie? De là les imbéciles. Le système
entier énergique, bien d'accord, bien ordonné?
De là les bons penseurs, les philosophes, les sages.

MADEMOISELLE DE L'ESPINASSE

Et selon la branche tyrannique qui prédomine,
l'instinct qui se diversifie dans les animaux, le
génie qui se diversifie dans les hommes; le chien
a l'odorat, le poisson l'ouïe, l'aigle la vue; d'Alembert est géomètre, Vaucanson machiniste, Grétry
musicien, Voltaire poète; effets variés d'un brin
du faisceau plus vigoureux en eux qu'aucun autre
et que le brin semblable dans les êtres de leur
espèce.

BORDEU

Et les habitudes qui subjuguent; le vieillard
qui aime les femmes, et Voltaire qui fait encore
des tragédies.

*(En cet endroit le docteur se mit à rêver et made-
moiselle de l'Espinasse lui dit :)*

MADEMOISELLE DE L'ESPINASSE

Docteur, vous rêvez.

BORDEU

Il est vrai.

MADEMOISELLE DE L'ESPINASSE

A quoi rêvez-vous?

BORDEU

A propos de Voltaire.

MADEMOISELLE DE L'ESPINASSE

Eh bien?

BORDEU

Je rêve à la manière dont se font les grands hommes.

MADEMOISELLE DE L'ESPINASSE

Et comment se font-ils?

BORDEU

Comment? La sensibilité...

MADEMOISELLE DE L'ESPINASSE

La sensibilité?

BORDEU

Ou l'extrême mobilité de certains filets du réseau est la qualité dominante des êtres médiocres.

MADEMOISELLE DE L'ESPINASSE

Ah! docteur, quel blasphème!

BORDEU

Je m'y attendais. Mais qu'est-ce qu'un être sensible? Un être abandonné à la discrétion du diaphragme. Un mot touchant a-t-il frappé l'oreille, un phénomène singulier a-t-il frappé l'œil, et voilà tout à coup le tumulte intérieur qui s'élève, tous les brins du faisceau qui s'agitent, le frisson qui se répand, l'horreur qui saisit, les larmes qui coulent, les soupirs qui suffoquent, la voix qui s'interrompt, l'origine du faisceau qui ne sait ce qu'il devient; plus de sang-froid, plus de raison, plus de jugement, plus [de justice], plus de ressource.

MADEMOISELLE DE L'ESPINASSE

Je me reconnais.

BORDEU

Le grand homme, s'il a malheureusement reçu cette disposition naturelle, s'occupera sans relâche à l'affaiblir, à la dominer, à se rendre maître de ses mouvements et à conserver à l'origine du faisceau tout son empire. Alors il se possédera au milieu des plus grands dangers, il jugera froidement, mais sainement. Rien de ce qui peut servir à ses vues, concourir à son but, ne lui échappera; on l'étonnera difficilement; il aura quarante-cinq ans; il sera grand roi, grand ministre, grand politique, grand artiste, surtout grand comédien, grand philosophe, grand poète, grand musicien, grand médecin; il régnera sur lui-même et sur tout ce qui l'environne. Il ne craindra pas la mort, peur, comme a dit sublimement le stoïcien, qui est une anse que saisit le robuste pour mener le faible partout où il veut; il aura cassé l'anse et se sera en même temps affranchi de toutes les tyrannies de ce monde. Les êtres sensibles ou les fous sont en scène, il est au parterre; c'est lui qui est le sage.

MADEMOISELLE DE L'ESPINASSE

Dieu me garde de la société de ce sage-là.

BORDEU

C'est pour n'avoir pas travaillé à lui ressembler que vous aurez alternativement des peines et des plaisirs violents, que vous passerez votre vie à rire et à pleurer, et que vous ne serez jamais qu'un enfant.

MADEMOISELLE DE L'ESPINASSE

Je m'y résous.

BORDEU

Et vous espérez en être plus heureuse?

MADEMOISELLE DE L'ESPINASSE

Je n'en sais rien.

BORDEU

Mademoiselle, cette qualité si prisée, qui ne conduit à rien de grand, ne s'exerce presque jamais fortement sans douleur, ou faiblement sans ennui; ou l'on bâille, ou l'on est ivre. Vous vous prêtez sans mesure à la douce sensation d'une musique délicieuse; vous vous laissez entraîner au charme d'une scène pathétique; votre diaphragme se serre, le plaisir est passé, et il ne vous reste qu'un étouffement qui dure toute la soirée.

MADEMOISELLE DE L'ESPINASSE

Mais si je ne puis jouir ni de la musique sublime ni de la scène touchante qu'à cette condition?

BORDEU

Erreur. Je sais jouir aussi, je sais admirer, et je ne souffre jamais, si ce n'est de la colique. J'ai du plaisir pur; ma censure en est beaucoup plus sévère, mon éloge plus flatteur et plus réfléchi. Est-ce qu'il y a une mauvaise tragédie pour des âmes aussi mobiles que la vôtre? Combien de fois n'avez-vous pas rougi, à la lecture, des transports que vous aviez éprouvés au spectacle, et réciproquement?

MADEMOISELLE DE L'ESPINASSE

Cela m'est arrivé.

BORDEU

Ce n'est donc pas à l'être sensible comme vous, c'est à l'être tranquille et froid comme moi qu'il appartient de dire : Cela est vrai, cela est bon, cela est beau... Fortifions l'origine du réseau, c'est tout ce que nous avons de mieux à faire. Savez-vous qu'il y va de la vie?

MADEMOISELLE DE L'ESPINASSE

De la vie, docteur, cela est grave.

BORDEU

Oui, de la vie. Il n'est personne qui n'en ait eu quelquefois le dégoût. Un seul événement suffit pour rendre cette sensation involontaire et habituelle; alors, en dépit des distractions, de la variété des amusements, des conseils des amis, de ses propres efforts, les brins portent opiniâtrément des secousses funestes à l'origine du faisceau; le malheureux a beau se débattre, le spectacle de l'univers se noircit pour lui; il marche avec un cortège d'idées lugubres qui ne le quittent point, et il finit par se délivrer de lui-même.

MADEMOISELLE DE L'ESPINASSE

Docteur, vous me faites peur.

D'ALEMBERT

(levé, en robe de chambre et en bonnet de nuit.)
Et du sommeil, docteur, qu'en dites-vous? c'est
une bonne chose.

BORDEU

Le sommeil, cet état où, soit lassitude, soit
habitude, tout le réseau se relâche et reste immobile;
où, comme dans la maladie, chaque filet du réseau
s'agite, se meut, transmet à l'origine commune
une foule de sensations souvent disparates, décou-
sues, troublées; d'autres fois si liées, si suivies, si
bien ordonnées que l'homme éveillé n'aurait ni
plus de raison, ni plus d'éloquence, ni plus d'imagination; quelquefois si violentes, si vives, que
l'homme éveillé reste incertain sur la réalité de
la chose...

MADEMOISELLE DE L'ESPINASSE

Eh bien, le sommeil?

BORDEU

Est un état de l'animal où il n'y a plus d'ensemble : tout concert, toute subordination cesse.
Le maître est abandonné à la discrétion de ses
vassaux et à l'énergie effrénée de sa propre acti-
vité. Le fil optique s'est-il agité? L'origine du
réseau voit; il entend si c'est le fil auditif qui le
sollicite. L'action et la réaction sont les seules
choses qui subsistent entre eux; c'est une consé-

quence de la propriété centrale, de la loi de continuité et de l'habitude. Si l'action commence par
le brin voluptueux que la nature a destiné au plaisir
de l'amour et à la propagation de l'espèce, l'image
réveillée de l'objet aimé sera l'effet de la réaction
à l'origine du faisceau. Si cette image, au contraire,
se réveille d'abord à l'origine du faisceau, la tension
du brin voluptueux, l'effervescence et l'effusion
du fluide séminal seront les suites de la réaction.

D'ALEMBERT

Ainsi il y a le rêve en montant et le rêve en descendant. J'en ai eu un de ceux-là cette nuit : pour
le chemin qu'il a pris, je l'ignore.

BORDEU

Dans la veille le réseau obéit aux impressions
de l'objet extérieur. Dans le sommeil, c'est de
l'exercice de sa propre sensibilité qu'émane tout
ce qui se passe en lui. Il n'y a point de distraction
dans le rêve; de là sa vivacité : c'est presque
toujours la suite d'un éréthisme, un accès passager
de maladie. L'origine du réseau y est alternativement active et passive d'une infinité de manières :
de là son désordre. Les concepts y sont quelquefois
aussi liés, aussi distincts que dans l'animal exposé
au spectacle de la nature. Ce n'est que le tableau
de ce spectacle réexcité : de là sa vérité, de là
l'impossibilité de le discerner de l'état de veille;
nulle probabilité d'un de ces états plutôt que de
l'autre; nul moyen de reconnaître l'erreur que
l'expérience.

MADEMOISELLE DE L'ESPINASSE

Et l'expérience se peut-elle toujours?

BORDEU

Non.

MADEMOISELLE DE L'ESPINASSE

Si le rêve m'offre le spectre d'un ami que j'ai perdu, et me l'offre aussi vrai que si cet ami existait; s'il me parle et que je l'entende; si je le touche et qu'il fasse l'impression de la solidité sur mes mains; si, à mon réveil, j'ai l'âme pleine de tendresse et de douleur, et mes yeux inondés de larmes; si mes bras sont encore portés vers l'endroit où il m'est apparu, qui me répondra que je ne l'ai pas vu, entendu, touché réellement?

BORDEU

Son absence. Mais, s'il est impossible de discerner la veille du sommeil, qui est-ce qui en apprécie la durée? Tranquille, c'est un intervalle étouffé entre le moment du coucher et celui du lever: troublé, il dure quelquefois des années. Dans le premier cas, du moins, la conscience du soi cesse entièrement. Un rêve qu'on n'a jamais fait, et qu'on ne fera jamais, me le diriez-vous bien?

MADEMOISELLE DE L'ESPINASSE

Oui, c'est qu'on est un autre.

D'ALEMBERT

Et dans le second cas, on n'a pas seulement la conscience du soi, mais on a encore celle de sa volonté et de sa liberté. Qu'est-ce que cette volonté, qu'est-ce que cette liberté de l'homme qui rêve?

BORDEU

Qu'est-ce? c'est la même que celle de l'homme qui veille : la dernière impulsion du désir et de l'aversion, le dernier résultat de tout ce qu'on a été depuis sa naissance jusqu'au moment où l'on est; et je défie l'esprit le plus délié d'y apercevoir la moindre différence.

D'ALEMBERT

Vous croyez?

BORDEU

Et c'est vous qui me faites cette question! vous qui, livré à des spéculations profondes, avez passé les deux tiers de votre vie à rêver les yeux ouverts, et à agir sans vouloir; oui, sans vouloir, bien moins que dans votre rêve. Dans votre rêve vous commandiez, vous ordonniez, on vous obéissait; vous étiez mécontent ou satisfait, vous éprouviez de la contradiction, vous trouviez des obstacles, vous vous irritiez, vous aimiez, vous haïssiez, vous blâmiez, vous approuviez, vous niiez, vous pleuriez, vous alliez, vous veniez. Dans le cours de vos méditations, à peine vos yeux s'ouvraient le matin

que, ressaisi de l'idée qui vous avait occupé la
veille, vous vous vêtiez, vous vous asseyiez à votre
table, vous méditiez, vous traciez des figures, vous
suiviez des calculs, vous dîniez, vous repreniez
vos combinaisons, quelquefois vous quittiez la
table pour les vérifier; vous parliez à d'aut.₃s,
vous donniez des ordres à votre domestique, vous
soupiez, vous vous couchiez, vous vous endormiez
sans avoir fait le moindre acte de volonté. Vous
n'avez été qu'un point; vous avez agi, mais vous
n'avez pas voulu. Est-ce qu'on veut, de soi? La
volonté naît toujours de quelque motif intérieur
ou extérieur, de quelque impression présente, de
quelque réminiscence du passé, de quelque passion,
de quelque projet dans l'avenir. Après cela je ne
vous dirai de la liberté qu'un mot, c'est que la
dernière de nos actions est l'effet nécessaire d'une
cause une : nous, très compliquée, mais une.

MADEMOISELLE DE L'ESPINASSE

Nécessaire?

BORDEU

Sans doute. Tâchez de concevoir la production
d'une autre action, en supposant que l'être agissant
soit le même.

MADEMOISELLE DE L'ESPINASSE

Il a raison. Puisque c'est moi qui agis ainsi,
celui qui peut agir autrement n'est plus moi; et
assurer qu'au moment où je fais ou dis une chose,

j'en puis dire ou faire une autre, c'est assurer que
je suis moi et que je suis un autre. Mais, docteur,
et le vice et la vertu? La vertu, ce mot si saint dans
toutes les langues, cette idée si sacrée chez toutes
les nations!

BORDEU

Il faut le transformer en celui de bienfaisance,
et son opposé en celui de malfaisance. On est
heureusement ou malheureusement né; on est
insensiblement entraîné par le torrent général qui
conduit l'un à la gloire, l'autre à l'ignominie.

MADEMOISELLE DE L'ESPINASSE

Et l'estime de soi, et la honte, et le remords?

BORDEU

Puérilité fondée sur l'ignorance et la vanité d'un
être qui s'impute à lui-même le mérite ou le démé-
rite d'un instant nécessaire.

MADEMOISELLE DE L'ESPINASSE

Et les récompenses, et les châtiments?

BORDEU

Des moyens de corriger l'être modifiable qu'on
appelle méchant, et d'encourager celui qu'on
appelle bon.

MADEMOISELLE DE L'ESPINASSE

Et toute cette doctrine n'a-t-elle rien de dangereux?

BORDEU

Est-elle vraie ou est-elle fausse?

MADEMOISELLE DE L'ESPINASSE

Je la crois vraie.

BORDEU

C'est-à-dire que vous pensez que le mensonge a ses avantages, et la vérité ses inconvénients.

MADEMOISELLE DE L'ESPINASSE

Je le pense.

BORDEU

Et moi aussi : mais les avantages du mensonge sont d'un moment, et ceux de la vérité sont éternels; mais les suites fâcheuses de la vérité, quand elle en a, passent vite, et celles du mensonge ne finissent qu'avec lui. Examinez les effets du mensonge dans la tête de l'homme, et ses effets dans sa conduite; dans sa tête, ou le mensonge s'est lié tellement quellement avec la vérité, et la tête est fausse; ou il est bien et conséquemment lié avec le mensonge, et la tête est erronée. Or quelle

conduite pouvez-vous attendre d'une tête ou
inconséquente dans ses raisonnements, ou consé-
quente dans ses erreurs?

MADEMOISELLE DE L'ESPINASSE

Le dernier de ces vices, moins méprisable, est
peut-être plus à redouter que le premier.

D'ALEMBERT

Fort bien : voilà donc tout ramené à de la sensibilité, de la mémoire, des mouvements organiques;
cela me convient assez. Mais l'imagination? mais
les abstractions?

BORDEU

L'imagination...

MADEMOISELLE DE L'ESPINASSE

Un moment, docteur : récapitulons. D'après
vos principes, il me semble que, par une suite
d'opérations purement mécaniques, je réduirais
le premier génie de la terre à une masse de chair
inorganisée, à laquelle on ne laisserait que la
sensibilité du moment, et que l'on ramènerait cette
masse informe de l'état de stupidité le plus profond
qu'on puisse imaginer à la condition de l'homme
de génie. L'un de ces deux phénomènes consis-
terait à mutiler l'écheveau primitif d'un certain
nombre de ses brins, et à bien brouiller le reste ;

et le phénomène inverse à restituer à l'écheveau les brins qu'on en aurait détachés, et à abandonner le tout à un heureux développement. Exemple : j'ôte à Newton les deux brins auditifs, et plus de sensations de sons ; les brins olfactifs, et plus de sensations d'odeurs ; les brins optiques, et plus de sensations de couleurs ; les brins palatins, et plus de sensations de saveurs; je supprime ou brouille les autres, et adieu l'organisation du cerveau la mémoire, le jugement, les désirs, les aversions, les passions, la volonté, la conscience du soi, et voilà une masse informe qui n'a retenu que la vie et la sensibilité.

BORDEU

Deux qualités presque identiques; la vie est de l'agrégat, la sensibilité est de l'élément.

MADEMOISELLE DE L'ESPINASSE

Je reprends cette masse et je lui restitue les brins olfactifs, et elle flaire; les brins auditifs, et elle entend; les brins optiques, et elle voit; les brins palatins, et elle goûte. En démêlant le reste de l'écheveau, je permets aux autres brins de se développer, et je vois renaître la mémoire, les comparaisons, le jugement, la raison, les désirs, les aversions, les passions, l'aptitude naturelle, le talent, et je retrouve mon homme de génie, et cela sans l'entremise d'aucun agent hétérogène et inintelligible.

BORDEU

A merveille : tenez-vous-en là ; le reste n'est que du galimatias... Mais les abstractions? mais l'imagination? L'imagination, c'est la mémoire des formes et des couleurs. Le spectacle d'une scène, d'un objet, monte nécessairement l'instrument sensible d'une certaine manière; il se remonte ou de lui-même, ou il est remonté par quelque cause étrangère. Alors il frémit au-dedans ou il résonne au-dehors ; il se recorde en silence les impressions qu'il a reçues, ou il les fait éclater par des sons convenus.

D'ALEMBERT

Mais son récit exagère, omet des circonstances, en ajoute, défigure le fait ou l'embellit, et les instruments sensibles adjacents conçoivent des impressions qui sont bien celles de l'instrument qui résonne, mais non celles de la chose qui s'est passée.

BORDEU

Il est vrai; le récit est historique ou poétique.

D'ALEMBERT

Mais comment s'introduit cette poésie ou ce mensonge dans le récit?

BORDEU

Par les idées qui se réveillent les unes les autres, et elles se réveillent parce qu'elles ont toujours été liées. Si vous avez pris la liberté de comparer l'animal à un clavecin, vous me permettrez bien de comparer le récit du poète au chant.

D'ALEMBERT

Cela est juste.

BORDEU

Il y a dans tout chant une gamme. Cette gamme a ses intervalles; chacune de ses cordes a ses harmoniques, et ces harmoniques ont les leurs. C'est ainsi qu'il s'introduit des modulations de passage dans la mélodie et que le chant s'embellit et s'étend. Le fait est un motif donné que chaque musicien sent à sa guise.

MADEMOISELLE DE L'ESPINASSE

Et pourquoi embrouiller la question par ce style figuré? Je dirais que, chacun ayant ses yeux, chacun voit et raconte diversement. Je dirais que chaque idée en réveille d'autres, et que, selon son tour de tête ou son caractère, on s'en tient aux idées qui représentent le fait rigoureusement, ou l'on y introduit les idées réveillées; je dirais qu'entre ces idées il y a du choix; je dirais... que ce seul sujet traité à fond fournirait un gros livre.

D'ALEMBERT

Vous avez raison; ce qui ne m'empêchera pas
de demander au docteur s'il est bien persuadé
qu'une forme qui ne ressemblerait à rien, ne
s'engendrerait jamais dans l'imagination, et ne
se produirait point dans le récit.

BORDEU

Je le crois. Tout le délire de cette faculté se
réduit au talent de ces charlatans qui, de plusieurs
animaux dépecés, en composent un bizarre qu'on
n'a jamais vu en nature.

D'ALEMBERT

Et les abstractions?

BORDEU

Il n'y en a point; il n'y a que des réticences
habituelles, des ellipses qui rendent les proposi-
tions plus générales et le langage plus rapide et
plus commode. Ce sont les signes du langage qui
ont donné naissance aux sciences abstraites. Une
qualité commune à plusieurs actions a engendré
les mots vice et vertu; une qualité commune à
plusieurs êtres a engendré les mots laideur et beauté.
On a dit un homme, un cheval, deux animaux;
ensuite on a dit un, deux, trois, et toute la science
des nombres a pris naissance. On n'a nulle idée

d'un mot abstrait. On a remarqué dans tous les corps trois dimensions, la longueur, la largeur, la profondeur; on s'est occupé de chacune de ces dimensions, et de là toutes les sciences mathématiques. Toute abstraction n'est qu'un signe vide d'idée. Toute science abstraite n'est qu'une combinaison de signes. On a exclu l'idée en séparant le signe de l'objet physique, et ce n'est qu'en rattachant le signe à l'objet physique que la science redevient une science d'idées; de là le besoin, si fréquent dans la conversation, dans les ouvrages, d'en venir à des exemples. Lorsque, après une longue combinaison de signes, vous demandez un exemple, vous n'exigez autre chose de celui qui parle, sinon de donner du corps, de la forme, de la réalité, de l'idée au bruit successif de ses accents, en y appliquant des sensations éprouvées.

D'ALEMBERT

Cela est-il bien clair pour vous, mademoiselle?

MADEMOISELLE DE L'ESPINASSE

Pas infiniment, mais le docteur va s'expliquer.

BORDEU

Cela vous plaît à dire. Ce n'est pas qu'il n'y ait peut-être quelque chose à rectifier et beaucoup à ajouter à ce que j'ai dit; mais il est onze heures et demie, et j'ai à midi une consultation au Marais.

D'ALEMBERT

Le langage plus rapide et plus commode!
Docteur, est-ce qu'on s'entend? est-ce qu'on est
entendu?

BORDEU

Presque toutes les conversations sont des comptes
faits... Je ne sais plus où est ma canne... On n'y a
aucune idée présente à l'esprit... Et mon chapeau...
Et par la raison seule qu'aucun homme ne ressemble
parfaitement à un autre, nous n'entendons jamais
précisément, nous ne sommes jamais précisément
entendus; il y a du plus ou du moins en tout :
notre discours est toujours en deçà ou au-delà
de la sensation. On aperçoit bien de la diversité
dans les jugements, il y en a mille fois davantage
qu'on n'aperçoit pas, et qu'heureusement on ne
saurait apercevoir... Adieu, adieu.

MADEMOISELLE DE L'ESPINASSE

Encore un mot, de grâce.

BORDEU

Dites donc vite.

MADEMOISELLE DE L'ESPINASSE

Vous souvenez-vous de ces sauts dont vous
m'avez parlé?

BORDEU

Oui.

MADEMOISELLE DE L'ESPINASSE

Croyez-vous que les sots et les gens d'esprit aient de ces sauts-là dans les races?

BORDEU

Pourquoi non?

MADEMOISELLE DE L'ESPINASSE

Tant mieux pour nos arrière-neveux; peut-être reviendra-t-il un Henri IV.

BORDEU

Peut-être est-il tout revenu.

MADEMOISELLE DE L'ESPINASSE

Docteur, vous devriez venir dîner avec nous.

BORDEU

Je ferai ce que je pourrai, je ne promets pas; vous me prendrez si je viens.

MADEMOISELLE DE L'ESPINASSE

Nous vous attendons jusqu'à deux heures.

BORDEU

J'y consens.

SUITE DE L'ENTRETIEN

Mademoiselle de L'ESPINASSE, BORDEU

Sur les deux heures le docteur revint. D'Alembert était allé dîner dehors, et le docteur se trouva en tête à tête avec mademoiselle de l'Espinasse. On servit. Ils parlèrent de choses assez indifférentes jusqu'au dessert; mais lorsque les domestiques furent éloignés, mademoiselle de l'Espinasse dit au docteur :

MADEMOISELLE DE L'ESPINASSE

Allons, docteur, buvez un verre de malaga, et vous me répondrez ensuite à une question qui m'a passé cent fois par la tête, et que je n'oserais faire qu'à vous.

BORDEU

Il est excellent ce malaga... Et votre question?

MADEMOISELLE DE L'ESPINASSE

Que pensez-vous du mélange des espèces?

BORDEU

Ma foi, la question est bonne aussi. Je pense que les hommes ont mis beaucoup d'importance à l'acte de la génération, et qu'ils ont eu raison; mais je suis mécontent de leurs lois tant civiles que religieuses.

MADEMOISELLE DE L'ESPINASSE

Et qu'y trouvez-vous à redire?

BORDEU

Qu'on les a faites sans équité, sans but et sans aucun égard à la nature des choses et à l'utilité publique.

MADEMOISELLE DE L'ESPINASSE

Tâchez de vous expliquer.

BORDEU

C'est mon dessein... Mais attendez... *(Il regarde à sa montre.)* J'ai encore une bonne heure à vous donner; j'irai vite, et cela nous suffira. Nous sommes seuls, vous n'êtes pas une bégueule, vous n'imaginerez pas que je veuille manquer au respect que je vous dois; et, quel que soit le jugement que vous portiez de mes idées, j'espère de mon côté que vous n'en conclurez rien contre l'honnêteté de mes mœurs.

MADEMOISELLE DE L'ESPINASSE

Très assurément; mais votre début me chiffonne.

BORDEU

En ce cas changeons de propos.

MADEMOISELLE DE L'ESPINASSE

Non, non; allez votre train. Un de vos amis qui nous cherchait des époux, à moi et à mes deux sœurs, donnait un sylphe à la cadette, un grand ange d'annonciation à l'aînée, et à moi un disciple de Diogène; il nous connaissait bien toutes trois. Cependant, docteur, de la gaze, un peu de gaze.

BORDEU

Cela va sans dire, autant que le sujet et mon état en comportent.

MADEMOISELLE DE L'ESPINASSE

Cela ne vous mettra pas en frais... Mais voilà votre café... prenez votre café.

BORDEU,
après avoir pris son café.

Votre question est de physique, de morale et de poétique.

MADEMOISELLE DE L'ESPINASSE

De poétique!

BORDEU

Sans doute; l'art de créer des êtres qui ne sont pas, à l'imitation de ceux qui sont, est de la vraie poésie. Cette fois-ci, au lieu d'Hippocrate, vous me permettrez donc de citer Horace. Ce poète, ou faiseur, dit quelque part : *Omne tulit punctum qui miscuit utile dulci ;* le mérite suprême est d'avoir réuni l'agréable à l'utile. La perfection consiste à concilier ces deux points. L'action agréable et utile doit occuper la première place dans l'ordre esthétique; nous ne pouvons refuser la seconde à l'utile; la troisième sera pour l'agréable; et nous reléguerons au rang infime celle qui ne rend ni plaisir ni profit.

MADEMOISELLE DE L'ESPINASSE

Jusque-là je puis être de votre avis sans rougir. Où cela nous mènera-t-il?

BORDEU

Vous l'allez voir; mademoiselle, pourriez-vous m'apprendre quel profit ou quel plaisir la chasteté et la continence rigoureuse rendent soit à l'individu qui les pratique, soit à la société?

MADEMOISELLE DE L'ESPINASSE

Ma foi, aucun.

BORDEU

Donc, en dépit des magnifiques éloges que le fanatisme leur a prodigués, en dépit des lois civiles qui les protègent, nous les rayerons du catalogue des vertus, et nous conviendrons qu'il n'y a rien de si puéril, de si ridicule, de si absurde, de si nuisible, de si méprisable, rien de pire, à l'exception du mal positif, que ces deux rares qualités...

MADEMOISELLE DE L'ESPINASSE

On peut accorder cela.

BORDEU

Prenez-y garde, je vous en préviens, tout à l'heure vous reculerez.

MADEMOISELLE DE L'ESPINASSE

Nous ne reculons jamais.

BORDEU

Et les actions solitaires?

MADEMOISELLE DE L'ESPINASSE

Eh bien?

BORDEU

Eh bien, elles rendent du moins du plaisir à l'individu, et notre principe est faux, ou...

MADEMOISELLE DE L'ESPINASSE

Quoi, docteur!...

BORDEU

Oui, mademoiselle, oui, et par la raison qu'elles sont aussi indifférentes, et qu'elles ne sont pas aussi stériles. C'est un besoin, et quand on n'y serait pas sollicité par le besoin, c'est toujours une chose douce. Je veux qu'on se porte bien, je le veux absolument, entendez-vous? Je blâme tout excès, mais dans un état de société tel que le nôtre, il y a cent considérations raisonnables pour une, sans compter le tempérament et les suites funestes d'une continence rigoureuse, surtout pour les jeunes personnes; le peu de fortune, la crainte parmi les hommes d'un repentir cuisant, chez les femmes celle du déshonneur, qui réduisent une malheureuse créature qui périt de langueur et d'ennui, un pauvre diable qui ne sait à qui s'adresser, à s'expédier à la façon du cynique. Caton, qui disait à un jeune homme sur le point d'entrer chez une courtisane : « Courage, mon fils... » lui tiendrait-il le même propos aujourd'hui? S'il le surprenait, au contraire, seul, en flagrant délit, n'ajouterait-il pas : cela est mieux que de corrompre la femme d'autrui, ou que d'exposer son honneur et sa santé?... Eh quoi! parce que les circonstances me privent du plus grand bonheur qu'on puisse imaginer, celui de confondre mes sens avec les sens, mon ivresse avec l'ivresse, mon âme avec l'âme d'une compagne que mon cœur se choisirait,

et de me reproduire en elle et avec elle, parce que
je ne puis consacrer mon action par le sceau de
l'utilité, je m'interdirai un instant nécessaire et
délicieux! On se fait saigner dans la pléthore; et
qu'importe la nature de l'humeur surabondante,
et sa couleur, et la manière de s'en délivrer? Elle
est tout aussi superflue dans une de ces indispo-
sitions que dans l'autre; et si, repompée de ses
réservoirs, distribuée dans toute la machine, elle
s'évacue par une autre voie plus longue, plus
pénible et dangereuse, en sera-t-elle moins perdue?
La nature ne souffre rien d'inutile; et comment
serais-je coupable de l'aider, lorsqu'elle appelle
mon secours par les symptômes les moins équi-
voques? Ne la provoquons jamais, mais prêtons-
lui la main dans l'occasion; je ne vois au refus et
à l'oisiveté que de la sottise et du plaisir manqué.
Vivez sobre, me dira-t-on, excédez-vous de fatigue.
Je vous entends : que je me prive d'un plaisir;
que je me donne de la peine pour éloigner un autre
plaisir. Bien imaginé!

MADEMOISELLE DE L'ESPINASSE

Voilà une doctrine qui n'est pas bonne à prêcher
aux enfants.

BORDEU

Ni aux autres. Cependant me permettez-vous
une supposition? Vous avez une fille sage, trop

sage, innocente, trop innocente; elle est dans l'âge où le tempérament se développe. Sa tête s'embarrasse, la nature ne la secourt point : vous m'appelez. Je m'aperçois tout à coup que tous les symptômes qui vous effrayent naissent de la surabondance et de la rétention du fluide séminal; je vous avertis qu'elle est menacée d'une folie qu'il est facile de prévenir, et qui quelquefois est impossible à guérir; je vous en indique le remède. Que ferez-vous?

MADEMOISELLE DE L'ESPINASSE

A vous parler vrai, je crois... mais ce cas n'arrive point...

BORDEU

Détrompez-vous; il n'est pas rare; et il serait fréquent, si la licence de nos mœurs n'y obviait... Quoi qu'il en soit, ce serait fouler aux pieds toute décence, attirer sur soi les soupçons les plus odieux, et commettre un crime de lèse-société que de divulguer ces principes. Vous rêvez.

MADEMOISELLE DE L'ESPINASSE

Oui, je balançais à vous demander s'il vous était jamais arrivé d'avoir une pareille confidence à faire à des mères.

BORDEU

Assurément.

MADEMOISELLE DE L'ESPINASSE

Et quel parti ces mères ont-elles pris?

BORDEU

Toutes, sans exception, le bon parti, le parti sensé... Je n'ôterais pas mon chapeau dans la rue à l'homme suspecté de pratiquer ma doctrine; il me suffirait qu'on l'appelât un infâme. Mais nous causons sans témoins et sans conséquence; et je vous dirai de ma philosophie ce que Diogène tout nu disait au jeune et pudique Athénien contre lequel il se proposait de lutter : « Mon fils, ne crains rien, je ne suis pas si méchant que celui-là. »

MADEMOISELLE DE L'ESPINASSE
(en se couvrant les yeux)

Docteur, je vous vois arriver, et je gage...

BORDEU

Je ne gage pas, vous gagneriez. Oui, mademoiselle, c'est mon avis.

MADEMOISELLE DE L'ESPINASSE

Comment! soit qu'on se renferme dans l'enceinte de son espèce, soit qu'on en sorte?

BORDEU

Il est vrai.

MADEMOISELLE DE L'ESPINASSE

Vous êtes monstrueux.

BORDEU

Ce n'est pas moi, c'est ou la nature ou la société.
Écoutez, mademoiselle, je ne m'en laisse point
imposer par des mots, et je m'explique d'autant
plus librement que je suis net et que la pureté
connue de mes mœurs ne laisse prise d'aucun côté.
Je vous demanderai donc, de deux actions également
restreintes à la volupté, qui ne peuvent rendre que
du plaisir sans utilité, mais dont l'une n'en rend
qu'à celui qui la fait et l'autre le partage avec un
être semblable mâle ou femelle, car le sexe ici, ni
même l'emploi du sexe n'y fait rien, en faveur de
laquelle le sens commun prononcera-t-il?

MADEMOISELLE DE L'ESPINASSE

Ces questions-là sont trop sublimes pour moi.

BORDEU

Ah! après avoir été un homme pendant quatre
minutes, voilà que vous reprenez votre cornette
et vos cotillons, et que vous redevenez femme. A
la bonne heure; eh bien! il faut vous traiter comme
telle... Voilà qui est fait... On ne dit plus mot de
Mme du Barry... Vous voyez, tout s'arrange ; on
croyait que la cour allait être bouleversée. Le
maître a fait en homme sensé ; *Omne tulit punctum ;*

il a gardé la femme qui lui fait plaisir, et le ministre qui lui est utile... Mais vous ne m'écoutez pas... Où en êtes-vous?

MADEMOISELLE DE L'ESPINASSE

J'en suis à ces combinaisons qui me semblent toutes contre nature.

BORDEU

Tout ce qui est ne peut être ni contre nature ni hors de nature, je n'en excepte pas même la chasteté et la continence volontaires qui seraient les premiers des crimes contre nature, si l'on pouvait pécher contre nature, et les premiers des crimes contre les lois sociales d'un pays où l'on pèserait les actions dans une autre balance que celle du fanatisme et du préjugé.

MADEMOISELLE DE L'ESPINASSE

Je reviens sur vos maudits syllogismes, et je n'y vois point de milieu, il faut ou tout nier ou tout accorder... Mais tenez, docteur, le plus honnête et le plus court est de sauter par-dessus le bourbier et d'en revenir à ma première question : Que pensez-vous du mélange des espèces?

BORDEU

Il n'y a point à sauter pour cela; nous y étions. Votre question est-elle de physique ou de morale?

MADEMOISELLE DE L'ESPINASSE

De physique, de physique.

BORDEU

Tant mieux ; la question de morale marchait la première, et vous la décidez. Ainsi donc...

MADEMOISELLE DE L'ESPINASSE

D'acord... sans doute c'est un préliminaire, mais je voudrais... que vous séparassiez la cause de l'effet. Laissons la vilaine cause de côté.

BORDEU

C'est m'ordonner de commencer par la fin ; mais puisque vous le voulez, je vous dirai que, grâce à notre pusillanimité, à nos répugnances, à nos lois, à nos préjugés, il y a très peu d'expériences faites, qu'on ignore quelles seraient les copulations tout à fait infructueuses ; les cas où l'utile se réunirait à l'agréable ; quelles sortes d'espèces on se pourrait promettre de tentatives variées et suivies ; si les Faunes sont réels ou fabuleux ; si l'on ne multiplierait pas en cent façons diverses les races de mulets, et si celles que nous connaissons sont vraiment stériles. Mais un fait singulier, qu'une infinité de gens instruits vous attesteront comme vrai, et qui est faux, c'est qu'ils ont vu dans la basse-cour de l'archiduc un infâme lapin qui servait de coq à une vingtaine de poules infâmes qui s'en accommodaient; ils ajouteront qu'on leur a montré des poulets couverts de poils et provenus de cette bestialité. Croyez qu'on s'est moqué d'eux.

MADEMOISELLE DE L'ESPINASSE

Mais qu'entendez-vous par des tentatives suivies?

BORDEU

J'entends que la circulation des êtres est graduelle, que les assimilations des êtres veulent être préparées, et que, pour réussir dans ces sortes d'expériences, il faudrait s'y prendre de loin et travailler d'abord à rapprocher les animaux par un régime analogue.

MADEMOISELLE DE L'ESPINASSE

On réduira difficilement un homme à brouter.

BORDEU

Mais non à prendre souvent du lait de chèvre, et l'on amènera facilement la chèvre à se nourrir de pain. J'ai choisi la chèvre par des considérations qui me sont particulières.

MADEMOISELLE DE L'ESPINASSE

Et ces considérations?

BORDEU

Vous êtes bien hardie! C'est que... c'est que nous en tirerions une race vigoureuse, intelligente, infatigable et véloce dont nous ferions d'excellents domestiques.

MADEMOISELLE DE L'ESPINASSE

Fort bien, docteur. Il me semble déjà que je vois derrière la voiture de nos duchesses cinq à six grands insolents chèvre-pieds, et cela me réjouit.

BORDEU

C'est que nous ne dégraderions plus nos frères en les assujettissant à des fonctions indignes d'eux et de nous.

MADEMOISELLE DE L'ESPINASSE

Encore mieux.

BORDEU

C'est que nous ne réduirions plus l'homme dans nos colonies à la condition de la bête de somme.

MADEMOISELLE DE L'ESPINASSE

Vite, vite, docteur, mettez-vous à la besogne, et faites-nous des chèvre-pieds.

BORDEU

Et vous le permettez sans scrupule?

MADEMOISELLE DE L'ESPINASSE

Mais, arrêtez, il m'en vient un; vos chèvre-pieds seraient d'effrénés dissolus.

BORDEU

Je ne vous les garantis pas bien moraux.

MADEMOISELLE DE L'ESPINASSE

Il n'y aura plus de sûreté pour les femmes honnêtes; ils multiplieront sans fin; à la longue il faudra les assommer ou leur obéir. Je n'en veux plus, je n'en veux plus. Tenez-vous en repos.

BORDEU, *en s'en allant.*

Et la question de leur baptême?

MADEMOISELLE DE L'ESPINASSE

Ferait un beau charivari en Sorbonne.

BORDEU

Avez-vous vu au Jardin du Roi, sous une cage de verre, cet orang-outan qui a l'air d'un saint Jean qui prêche au désert?

MADEMOISELLE DE L'ESPINASSE

Oui, je l'ai vu.

BORDEU

Le cardinal de Polignac lui disait un jour : « Parle, et je te baptise. »

MADEMOISELLE DE L'ESPINASSE

Adieu donc, docteur ; ne nous délaissez pas des siècles, comme vous faites, et pensez quelquefois que je vous aime à la folie. Si l'on savait tout ce que vous m'avez conté d'horreurs!

BORDEU

Je suis bien sûr que vous vous en tairez.

MADEMOISELLE DE L'ESPINASSE

Ne vous y fiez pas, je n'écoute que pour le plaisir de redire. Mais encore un mot, et je n'y reviens de ma vie.

BORDEU

Qu'est-ce?

MADEMOISELLE DE L'ESPINASSE

Ces goûts abominables, d'où viennent-ils?

BORDEU

Partout d'une pauvreté d'organisation dans les jeunes gens, et de la corruption de la tête dans les vieillards ; de l'attrait de la beauté dans Athènes, de la disette des femmes dans Rome, de la crainte de la vérole à Paris. Adieu, adieu.

TABLE DES MATIÈRES

Il existe dans la Collection des Classiques Garnier une édition en un volume des principales Œuvres philosophiques *de Diderot. On y trouve :* Pensées philosophiques, Addition aux Pensées philosophiques, Lettre sur les Aveugles, Additions à la Lettre sur les Aveugles, De l'Interprétation de la Nature, Entretien entre d'Alembert et Diderot, le Rêve de d'Alembert, Suite de l'Entretien, Principes philosophiques sur la Matière et le Mouvement, Entretien d'un Père avec ses enfants, Supplément au Voyage de Bougainville, Entretien d'un Philosophe avec la Maréchale de ***, *des extraits de la* Réfutation suivie de l'ouvrage d'Helvétius intitulé l'Homme, Lettre apologétique de l'abbé Raynal à M. Grimm. *L'édition a été établie par M. Paul Vernière, professeur à la Faculté des Lettres et Sciences humaines de Paris-Nanterre. Elle contient une Introduction générale, une chronologie de la vie de Diderot, une notice en tête de chaque œuvre, des notes, des bibliographies. Elle est illustrée de documents d'époque.*

PUBLICATIONS NOUVELLES

BALZAC
Un début dans la vie (613).

BAUDELAIRE
Les Fleurs du mal (527).

BECCARIA
Des Délits et des peines (633).

CALDERON
La Vie est un songe (693).

CASTIGLIONE
Le Livre du courtisan (651).

CHATEAUBRIAND
Vie de Rancé (667).

CHRÉTIEN DE TROYES
Le Chevalier au lion (569). Lancelot ou le chevalier à la charrette (556).

CONRAD
Nostromo (560). Sous les yeux de l'Occident (602).

DUMAS
Les Bords du Rhin (592).

FIELDING
Joseph Andrews (558).

FITZGERALD
Absolution. Premier mai. Retour à Babylone (695).

FLAUBERT
Mémoires d'un fou. Novembre (581).

FROMENTIN
Une année dans le Sahel (591).

GAUTIER
Le Capitaine Fracasse (656).

GOETHE
Les Affinités électives (673).

GOGOL
Tarass Boulba (577). Les Ames mortes (576).

HUME
Enquête sur les principes de la morale (654). Les Passions. Traité sur la nature humaine, livre II - Dissertation sur les passions (557).

JAMES
Histoires de fantômes (697).

KAFKA
Dans la colonie pénitentiaire et autres nouvelles (564).

KANT
Vers la paix perpétuelle. Que signifie s'orienter dans la pensée. Qu'est-ce que les Lumières ? (573).

KLEIST
La Marquise d'O (586). Le Prince de Hombourg (587). Michel Kohlhaas (645).

LAXNESS
La Cloche d'Islande (659).

LOCKE
Lettre sur la tolérance et autres textes (686).

LOPE DE VEGA
Fuente Ovejuna (698).

LOTI
Madame Chrysanthème (570). Le Mariage de Loti (583).

LUTHER
Les Grands Ecrits réformateurs (661).

MACHIAVEL
L'Art de la guerre (615).

MARIVAUX
Les Acteurs de bonne foi. La Dispute. L'Épreuve (166). La Fausse Suivante. L'Ecole des mères. La Mère confidente (612).

MAUPASSANT
Notre cœur (650). Boule de suif (584). Pierre et Jean (627).

MELVILLE
Mardi (594). Omoo (590). Benito Cereno-La Veranda (603).

MICHELET
Le Peuple (691).

MORAND
Hiver Caraïbe (538).

Vous trouverez chez votre libraire le catalogue complet des livres de poche GF-Flammarion et Champs-Flammarion.

GF – TEXTE INTÉGRAL – GF

92/10/M1051-XI-1992 – Impr. MAURY Eurolivres SA, 45300 Manchecourt.
N° d'édition 14065. – 4e trimestre 1973. – Printed in France.